覇権の流れがわかる！ 海洋の地政学

宮崎正勝

PHP文庫

○本表紙図柄＝ロゼッタ・ストーン（大英博物館蔵）
○本表紙デザイン＋紋章＝上田晃郷

はじめに

地球の表面の七割は、涯《はて》しなく広がる海です。そうした海の上では船だけが人工的であり、人類と自然の関係は大逆転しています。海の上でつくづく感じたのは、自然と「地理」が歴史の土台になり続けてきたということでした。

人間が地理的条件を変えるのは不可能であり、与えられた自然環境の下で私たちの社会は動いてきました。フランスの著名な歴史学者ブローデルは、歴史を、構造（自然環境）・景況・事件の三層に分け、「景況」と「事件」が「構造」という基盤の上で動いてきた、と説きました。アプローチは違いますが、二〇世紀のアメリカの地政学者ニコラス・スパイクマンも、「地理こそ、外交政策でもっとも重要な要素である。なぜなら地理は不変だからだ」と述べています。

地球のトータルな姿は、人工衛星が送ってくる映像データで見ることができますし、グーグル・アースを使うことも可能です。ただ、肌感覚で、連続するパノラマとして地理的に地球を体感するには、海から陸を見る、昔ながらの航海が最適だと思います。

一九三一年に、イギリス南部のプリマス港から出港した調査船ビーグル号に乗ってイヤというほどの船旅をした生物学者のチャールズ・ダーウィンは、海の単調さについて、「限りない海洋の誇らしい壮大さとはいったい何であろうか？　それは、退屈きわまる荒野であり、アラビア人が呼んでいるように、それは水の砂漠である」と、『ビーグル号世界周航記』に書いています。

しかし、地球の広さを体感できる「退屈きわまる荒野」は、逆転の思索を生むためのフィールドとも見なせます。それは、ダーウィンが下船した後に、広い視野からの「進化論」を発表したことでも明らかです。

私もちょっとした偶然から、一〇年ほどの間、商船三井客船の「にっぽん丸」、日本クルーズ客船の「ぱしふぃっくびいなす」という世界一周のクルーズ船で、「海の世界史」を連続的に講演をする機会を得ました。なんだかんだ言って、その体験が私に海の見方を教えてくれたのだと思っています。

今のクルーズ船と昔の帆船とではスピードが違いますし、安全性が違います。現在のクルーズ船には揺れを少なくするフィンスタビライザーがついていますから、普通の海では揺れがほとんどなく快適です。

しかし、海が大きく荒れれば話は別で、平衡を保って真っすぐに歩くのも大変です。ただ、地政学でいう、「大陸」は海に浮かぶ「島」である、「海の世界」は港と港を結ぶネットワーク状をなしている、というような本質的な見方は体験的に理解できました。海に生きる海洋民と、陸地で一生を終える農民・遊牧民とでは、ものの考え方が違ってくるのは当然だということも実感できました。

日本は、イギリスと同じく大陸に隣接する島国で、これ以上望めないくらいの「海洋国」としての有利な条件を備えています。ところが、なまじ「コメ」が豊富に育ったために、海洋国としてのこれ以上ない条件を潜在力として保ったままで、日本は「海岸国」にとどまってきたように思えます。海に進出したい国から見るならば、何とももったいない話なのです。

たとえば、日本の国土面積は世界で六〇番目くらいなのですが、排他的経済水域の面積は世界で六番目です。世界地図を逆さにして見るとわかるのですが、日本列島はユーラシア大陸の東に衝立のように連なる列島で、東シナ海と太平洋をつなぐ宮古海峡・大隅《おおすみ》海峡、東シナ海と黄海と日本海をつなぐ対馬海峡、日本海と太平洋をつなぐ津軽海峡および宗谷海峡、オホーツク海と太平洋をつなぐ択捉《えとろふ》海峡というように、六つのチョーク・ポイント（重要水路）があります。

外洋である太平洋の東にはアメリカ、日本海の北にはロシア、東シナ海の先には中国という超大国が並んでいます。ユーラシア大陸の中国は典型的な内陸国で、海岸線の長さは日本の半分にすぎません。

また、南方から列島に沿って、メキシコ湾流や南極海流とともに、世界三大海流の一つとされる長大な黒潮が流れています。昔、新大陸から膨大な銀をマニラに運んできたスペインの銀船は、たくさんの陶磁器や絹織物を積み込み、黒潮に乗ってフィリピン群島から三陸沖まで北上。そこから偏西風に乗って、メキシコのアカプルコ湾に戻りました。

日本列島の西の太平洋上には、台湾、フィリピン、インドネシア、マレーシアという海洋国家が連なっており、一連の島嶼《とうしょ》国を経てマラッカ海峡を越えてインド洋とつながります。

日本が、そうした得難い海の環境を充分に生かしきれていないのは、とてももったいないことです。海洋地政学は、海洋国になるには一にも二にも地理的条件が必要である。それだけは、後で獲得することができないからだとしています。台風、地震と引き換えに与えられた海洋国としての地理的優位が、見直されていくことが必要です。

私は、高校教師の時に、東京都の第一回青少年洋上セミナーの講師として、香港船籍の「コーラル・プリンセス」という船で、文化大革命直後の天津、北京、上海に行ったのですが、面白いもので、その後にも海との縁ができました。細切れなのですが、台湾海峡、マラッカ海峡、喜望峰、バブ・エル・マンデブ海峡、ダーダネルス海峡、ボスポラス海峡、スエズ運河、メッシーナ海峡、ジブラルタル海峡、イギリス海峡、エーレンス海峡、キール運河、ジョージア海峡、フロリダ海峡、ユカタン海峡、パナマ運河などをめぐり、世界の海を展望する簡単なイメージを持つことができました。

今まで、なんだかんだで海とかかわる世界史の本を多数書いてきたのですが、本書は**海洋地政学を踏まえて、フェニキア海洋帝国、ポルトガル海洋帝国、イギリス帝国、アメリカ帝国の四つの海洋帝国を中心に、世界史を読み解く**ことを目指しています。

海は、古代ギリシア人の哲学がそうであるように、感性を豊かにし、視野を広げてくれます。現在の緊迫する南シナ海、東シナ海情勢も、海洋地政学で分析してみると、かなりクリアに問題が整理できます。

中国というランド・パワーの国が、海の「ネットワーク型国家」に転換することは、とても困難なことです。それは海の世界の歩み、中国の地理と歴史を検討すれば自ずと明らかになります。その際に、海洋地政学が大きなヒントを与えてくれると考えています。

宮崎正勝

目次——覇権の流れがわかる！　海洋の地政学

第二章 地中海の最初の海洋帝国

——シー・パワーのフェニキア帝国とランド・パワーのローマ帝国の争い

第三章 海洋的インドと大陸的中国

――インド洋のなかのインドと遊牧民との激しい戦いを続けた中国の歴史性の違い

第四章 遊牧帝国と共存したインド洋の商人世界
——二つのペストのパンデミックの間に興隆した巨大な遊牧帝国とインド洋交易

第五章 北から膨張したヴァイキング世界
――寒冷の海から広がったネットワーク

第六章 大航海時代と大西洋
──東周りのポルトガルと西に直進したスペイン

第七章 海の帝国ポルトガルとオランダ東インド会社
――インド洋の海洋帝国とオランダ東インド会社

第一章

地政学で世界と世界史が読み直せる

現代世界は海上の航路《ルート》と「拠点」を結び付ける組織から成長した

1 地表の七割は海

大陸は海に浮かぶ「島」

地球の表面といってもなかなか実感が湧かないが、小学校で習ったように、**海が七、陸が三の比率**になっている。圧倒的に広い「海」は、昔は「大陸」を隔てる空間だったが、大航海時代（一四〇〇頃～一六五〇頃）以降、大陸を結び付けるようになった。

地政学の前提になっているのは、イギリスの地理学者ハルフォード・マッキンダーが思考の前提にした、「世界海《ワールド・シー》（World Sea）」のうえに、「世界島《ワールド・アイランド》（World Island＝ユーラシア大陸とアフリカ大陸）などの大陸が浮かんでいるというイメージである。

地図により世界は違って見える

「地政学の祖」とされるマッキンダーは、世界人口の「一六分の一四」が集中しているとして、ひとつながりのユーラシア大陸とアフリカ大陸を「世界島」と考え、「**世界島を制する者が世界を制す**」と唱えた。世界史の主な舞台とされているのは、教科書に書かれているように海洋世界のなかの「世界島」なのである。

交易と移住が積み重ねられ、海の上にネットワーク型の世界がつくりあげられていった。港と**航路**が結び付くことで成長していった世界である。港は、地域開発、移住、交易の起点だが、航路により**中継地**、交易先（場合によっては**植民地**）とつながった。

海洋世界の原型を示すポリネシアン・トライアングル

港と航路のネットワークにより規模を拡大した海の世界は、周辺地域を併合して平面的に領域を拡大する内陸の世界とは、世界のでき方が違っていた。

海の世界のでき方については、太平洋で長い歳月をかけてポリネシア人がつくりあげた「**大三角形**《ポリネシアン・トライアングル》」がわかりやすい。ポリネシア人は、アウトリガー（船を安定させるための浮き材）をつけたカヌー一つで島々を結び、太平洋に「ヨーロッパの面積の約三倍もの海洋世界」を築きあげていく。

彼らが使った**アウトリガー**をつけた大小の**カヌー**は、ニュージーランド北島の主要都市オークランドの海洋博物館に多数展示されている。

ポリネシア人は、前六〇〇〇年頃にユーラシアから台湾に渡り、海洋民として前三〇〇〇年頃にはスラウェシ（セレベス）島、カリマンタン（ボルネオ）島に移住。さらに前一〇〇〇年頃に、三〇〇以上の島々からなる南太平洋の**フィジー諸島**に

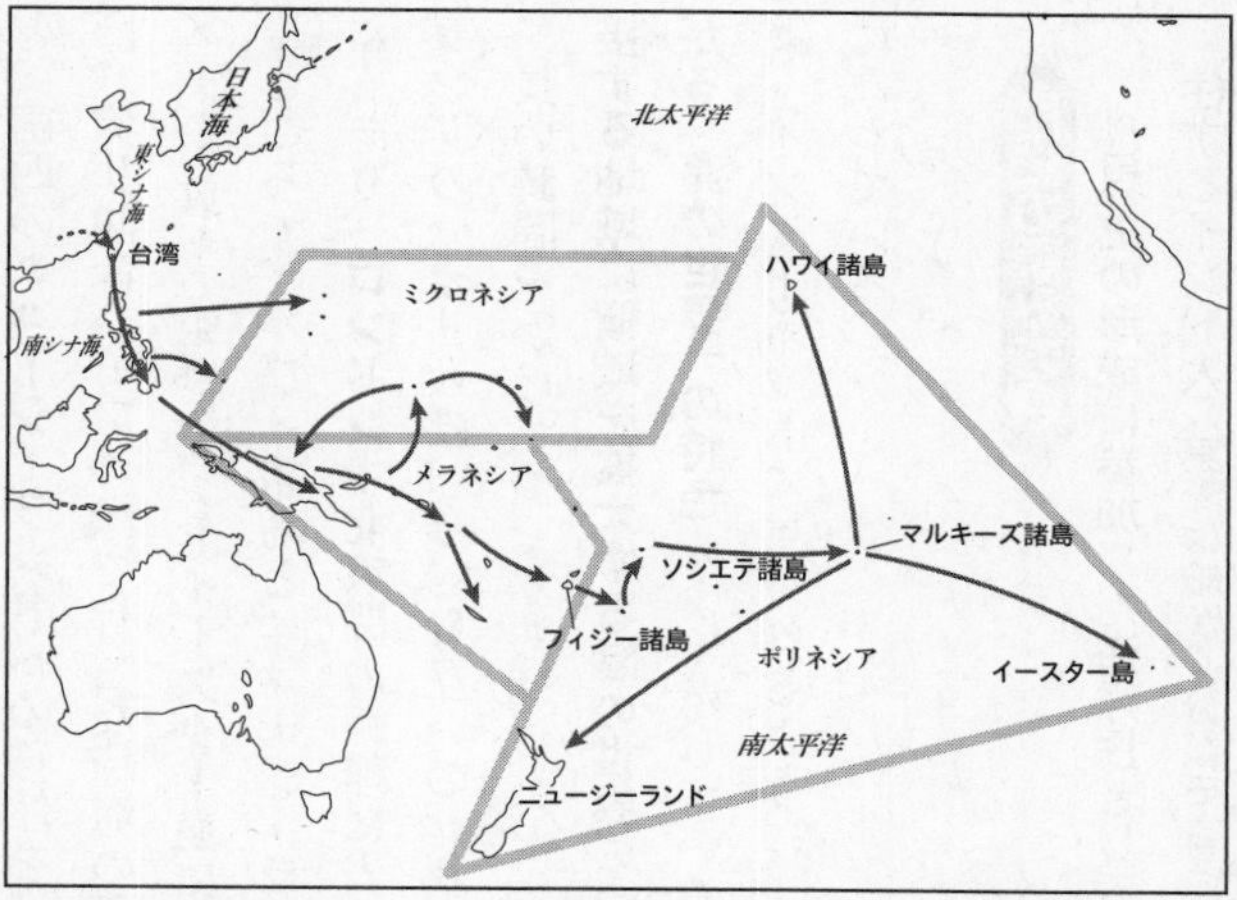

台湾からのポリネシア人の移動とポリネシアン・トライアングル
資料:『「民族」を知れば世界史の流れが見通せる』(PHP研究所)を参考に作成

渡った。

前一世紀になると、太平洋のど真ん中の**タヒチ島**、ボラボラ島などの一八の島々からなる**ソシエテ諸島**、一四の火山島からなる**マルキーズ諸島**に大きな「拠点」をつくった。

その大拠点から、ポリネシア人は周辺の島々、サンゴ礁に拡散。太陽、月、星、雲、風、海流などを利用して海のネットワークを広げ、ポリネシアン・トライアングルをつくりあげていく。四〇〇年頃に北の**ハワイ諸島**に移住。一一世紀頃になると、南西の**ニュージーランド**への移住を進めた。八〇〇年頃（五〇〇年説もあり）には、チリ沖合のモアイ像で有名な絶海の孤島（もっとも近い有人の島まで二〇〇〇キロメートル以上の距離がある）**イースター島**にまで、ネットワークを広げていく。

ところで、ハワイ諸島とニュージーランドの間の距離は約八〇〇〇キロメートルもあり、**ロンドン―北京**間の距離に当たる。ハワイ人とタヒチ人、ニュージーランドのマオリ人は、今でも互いの言語で意思を通じ合えるという。

長い時間をかけてつくりあげられた「ポリネシアン・トライアングル」は、**隣接する地域に領域を拡大する陸の世界**のつくられ方とは違う、**ネットワーク状に広がる「海の世界」の特色**をよく示している。現代社会では、会社組織、各種の輸送網、インターネットに見られるように、**海洋型のネットワーク・システム**が中心になっている。

歴史の読み方❷

世界史の形成に参加した海洋民としては、ユーラシア大陸と海が接する地域に居住するインド人（実際は細かく分類できる）、マレー人、フェニキア人、ギリシア人、アラブ人、オマーン人、ヴェネツィア人、ジェノヴァ人、ポルトガル人、ヴァイキング、オランダ人、イギリス人などがあげられる。彼らは大陸から見れば「辺境」の民であるが、陸の世界と海の世界を複合させる歴史を展開した。

2 海洋地政学とは何か

「地理」を視界に入れると世界を考える枠組が変わる

地政学《ジオポリティクス》（Geopolitics）は、ヨーロッパで植民地獲得競争が激化した一九世紀、二〇世紀に勃興。「国家、地域を、いかに維持、拡張していくか」を、地球全体の視点から考える実用的な学問である。

近年、中国の膨張政策が引き起こす難しい問題に直面している日本では、地理的条件を重視する地政学への関心が高まっている。地政学は平たくいうと思考の枠組になる。地図を踏まえる地政学は、巨視的、戦略的、比較的視点を特色としている。わかりやすい例として、話題になることが多い日本と韓国の歴史問題を取り上げてみよう。地政学の補助線を加えることで、両国の発想の違いが明確になる。

①「**半島国家**」の韓国と「**島国**」の日本の発想の違い

半島国家の韓国では、満洲人、モンゴル人、ロシア人などの半島の付け根からの強大な勢力の進出に敏感にならざるをえない。付け根から攻められると海にしか逃げ場がなくなるからだ。島国の日本では海により安全が守られていた。

②**遊牧社会との距離**（宦官《かんがん》がいた韓国と、いなかった日本）

モンゴル高原、満洲平原が近く、遊牧民を強く意識しなければならなかった韓国に対し、海に囲まれて遊牧社会の影響が弱かった日本。

③**中華帝国からの自立度**の違い

科挙を受け入れた韓国と、一定の距離を置いて受け入れなかった日本。明が異民族の清に替わったことで、自らが朱子学の本家・本元と考えた韓国と、朱子学を限定的に受け入れた日本。

④**典型的島嶼《とうしょ》国**の日本は**海洋世界との関係が強い**

大航海時代以降、ポルトガル、オランダ、スペイン、イギリス、アメリカなどの海洋世界の影響を強く受けた日本と、西欧を野蛮と考えて排除した韓国。

⑤外敵が強いために部族（族譜がある）と「民族」の結束を重んじた韓国と、それが島のなかで形骸化した日本

⑥対立する大国の間の緩衝地帯《バッファ・ゾーン》になりやすかった朝鮮半島

大陸地政学と海洋地政学

地理的環境により国・地域は、大きく、①大陸型、②海洋型、に分けられる。大きく見れば、韓国は大陸型、日本は海洋型ということになる。大陸と海では社会のつくられ方が違う。地政学も、大陸型と海洋型に大きく分けられる。

①大陸——自国を中心に周辺の土地を併合することで大勢力が形成された。征服が主になる

②海洋——交易・移住でネットワーク状に大勢力が形成される。大陸の強国からの防衛が問題になる

大陸型の地政学は、ドイツの**フリードリッヒ・ラッツェル**という政治地理学者が、「帝国が生き残るには領土の拡張を続けなくてはならない」と説いたことから始まる。大陸の歴史は平面的な領土拡張の繰り返しだったために、そうならざるをえなかった。ちなみに、ラッツェルの教え子のスウェーデン人ルドルフ・チェレンが最初に「**地政学**」という学問名を生み出している。

それを引き継いだドイツの軍人カール・ハウスホーファーは、ドイツ民族が生存するためには「**生存圏**」(国家が自給自足を行うために必要な領土、支配)が必要、と説いた。それが、ナチスが東欧・ソ連を侵略する際の理論的支柱になったことから、大陸型の地政学は現在は信頼を失っている。

他方、**海洋型の地政学は**、**マッキンダーにより始められた**。イギリスが海軍国で陸軍が弱かったことから、ユーラシアの強国の世界制覇を防止し、大陸の大勢力の進攻からイギリスの利益を守ることが、学問の主なテーマになった。

一九世紀末、**大陸国家から海洋国家に転換しようとしたアメリカで**、**タイミングよく海洋進出の道筋を示したのが**、**海軍軍人**、**戦略家のマハン**である。マハンは、**海軍力を中心とする「シー・パワー」により海洋国家こそが世界の覇権を握ること**

ができるとして、「海洋国家」の優位を説いた。その主張は、「大陸国家の地政学」と同様にかなり攻撃的だったが、海洋国家の膨張がネットワーク状になされたこともあり、あまり露骨にはならなかった。

本書がいうところの地政学は、マッキンダー、マハン、スパイクマンなどの地政学を組み合わせた**海洋地政学**である。**海洋地政学とは、海洋の視点から国際情勢を統合・分析し、国と地域の安定・平和の道筋を求める思考の枠組**と要約できる。

歴史の読み方❸

地政学は「陸」と「海」、「大陸国家」と「海洋国家」の基本的な違いを中心に、地理的条件を踏まえて世界、地域、国を分析する枠組であり、そんなに難しいものではない。ただ、いくつかの固有の用語があり、それを理解しておくことが必要になる。ただ、主要な用語はあまり多くはなく、それを使いこなせばザックリと世界を見ることができる。次節以降、簡単に解説していくが、まずは主な用語を列挙しておく。

①世界海と世界島

②ランド・パワー（大陸国家）とシー・パワー（海洋国家）
③ハート・ランド（世界島の中軸地域）
④リム・ランド（周辺地域）
⑤バランス・オブ・パワー（勢力均衡）と緩衝地帯
⑥マージナル・シー（縁海）
⑦チョーク・ポイント（戦略的に重要な水路）

3 大陸の歴史を動かしたランド・パワー

農業民と遊牧民への分化

ユーラシアの乾燥地帯の四大文明から、世界史は始まった。エジプト、メソポタミア、インダス、黄河の諸文明は、いずれも砂漠を流れる大河川の流域の穀倉地帯だったため、穀物は限られた土地に偏在した。穀倉地帯の周辺の草原、荒れ地では思うように穀物が得られず、それらの**食糧**をどのように**循環**させるかが大問題になった。

そこで地政学では、穀物がつくれる「**生産地域**」、穀物をつくれない**草原・砂漠**などの「**交通地域**」に分けて、トータルに両者の関係を考える。そうすると、穀物を中心とする広域の動きが全体として明らかになる。

歴史の読み方❹

古代の西アジア、地中海では、エジプトとメソポタミアが「生産地域」、その周辺のイラン高原（日本の約六・六倍）、地中海（乾燥の海、日本海の約二・六倍）、アラビア半島（日本の約七倍）が、「交通地域」とされる。穀物が必要な「交通地域」の諸勢力ではランド・パワーが強化されて、広域支配の体制がつくられた。ペルシア帝国はイラン高原、ローマ帝国は地中海、イスラーム帝国はアラビア半島というように、「交通地域」から大勢力が入れ替わりに台頭する。いずれの帝国も、エジプトとメソポタミアの「生産地域」の支配が中心だった。

ランド・パワーというのは、**地形を変える力**（開墾など、主に農業社会）、歩兵軍、戦車隊、騎馬軍などの**軍事力**（**主に遊牧社会**）を指し、**支配できる領域の広さにより、その力量が測られた**。一三世紀から一四世紀にかけてユーラシア大陸の東西を席巻《せっけん》した**モンゴル帝国が**、**最強のランド・パワー**とされている。

ランド・パワーとシー・パワーで世界史の大局が見える

ユーラシア大陸では長い間、**ランド・パワー**（**大陸国家**）が覇権を争ってきた。一六世紀になると、辺境のヨーロッパで**シー・パワー**（**海洋国家**）が台頭。ランド・パワーを攻撃・支配する方向に転換した。世界史は、ランド・パワーとシー・パワーの争いの時代に入るのだが、それを簡単に整理すると以下のようになる。

①一六世紀以前……**ランド・パワーが優位**の時代
②一六〜一八世紀……**シー・パワーの拡張**期
③一九世紀中頃……シー・パワーの**イギリスが覇権を確立**

④一九世紀後半……鉄道建設の進展、第二次産業革命などにより、**ランド・パワー（ロシア・ドイツ）の勢力拡大**の時代
⑤二〇世紀前半……シー・パワーとランド・パワーが地球規模で激突した**二つの世界大戦**の時代
⑥二〇世紀後半……シー・パワーの**アメリカの覇権**時代

4 ハート・ランドと呼ばれた「世界島」の心臓部

「世界島」を制する者が世界を制す

「地政学の祖」とされるマッキンダーは、地表の七割を占める海を**世界海**（一つに結び付いた大西洋、インド洋、太平洋）としてとらえ、そのうえに**世界島**（ひと続きのユーラシア大陸とアフリカ大陸）、**北アメリカ**、**南アメリカ**、**マラヤ**（東南アジア）、**オー

ストラリアの五つの「島」が浮かんでいる、とイメージした。

たしかに地表の七割を占める海から見れば、ユーラシア、北アメリカなども**「島」にすぎない**。それが、マッキンダーらが説いた**海洋地政学の大前提**になっている。マッキンダーはさらに世界人口の大部分が集中する「世界島」を中心に世界史が動いてきた、と指摘。「世界島を制する者が世界を制す」と述べている。

ハート・ランドの変遷

ランド・パワーを主たる研究対象にしたマッキンダーは、「世界島」の中心地域で、北極海に注ぐ諸河川の流域、カスピ海とアラル海に注ぐ川の流域を「ハート・ランド」(pivot、枢軸地域。ユーラシアの心臓部)と呼んだ。彼がイメージしたのは、ロシアとそれを継承したソ連である。

ロシアは土地が広大で、冬は極寒。なによりも背後に氷に閉ざされた北極海があり、海軍で攻撃することは不可能だった。日本の人口の約半分の「海洋国家」イギリスは陸軍が弱く、氷で閉ざされた北極海に背後を守られたハート・ランドを攻略できなかった。ロシア遠征を行ったナポレオン軍も、のちのナチス・ドイツ

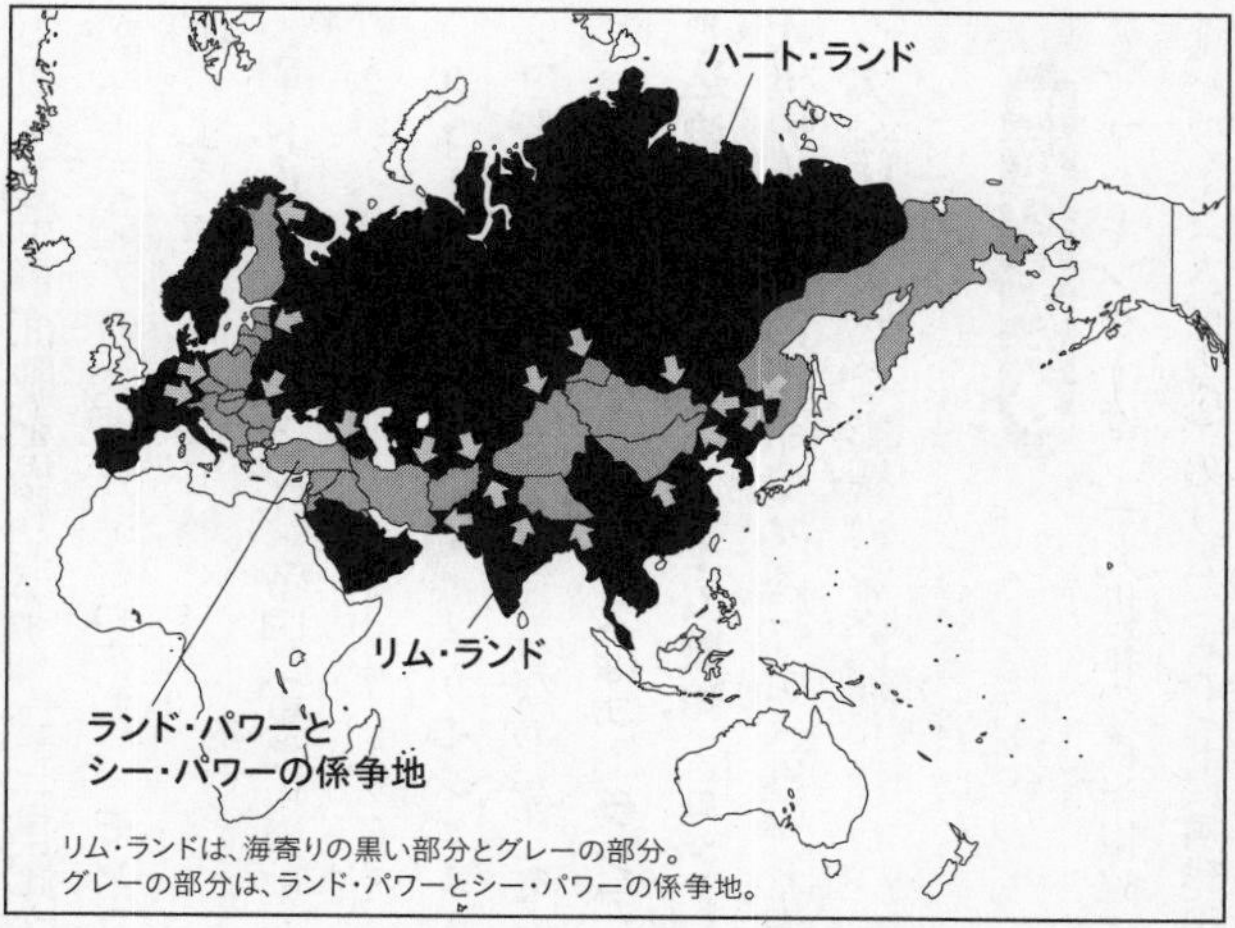
ハート・ランド
リム・ランド
ランド・パワーと
シー・パワーの係争地
リム・ランドは、海寄りの黒い部分とグレーの部分。
グレーの部分は、ランド・パワーとシー・パワーの係争地。

ハート・ランドとリム・ランドの紛争
資料：ニコラス・スパイクマン『平和の地政学』（芙蓉書房出版）を参考に作成

も、いずれもハート・ランドの攻略に失敗している。

一四世紀までは、アラル海、カスピ海に注ぐ諸河川の流域だけではなく、モンゴル高原も含む東西八〇〇〇キロメートルの**中央アジアの大草原**がハート・ランドとして機能した。

前六世紀にウクライナのスキタイ人が開発した騎馬技術が広まると、大草原は、周辺の農業民には手のつけられない軍事地域になった（あたかものちのハート・ランドと同じ位置づけになる）。

騎馬遊牧民は、周辺地域に対し

て次々と軍事征服を繰り返す。一三世紀から一四世紀にかけては、**モンゴル帝国**がユーラシアの大部分を支配した。**モンゴル帝国**が滅亡すると、ユーラシアは以下のように三分されていく。

①**トルコ人**のオスマン帝国（東地中海中心）、ムガル帝国（インド）
②シベリアを征服し、中央アジアにも進出したロシア帝国
③ユーラシア東部に満洲人がモンゴル人と協力して建設した清帝国

三者のなかでもっとも強力なのが、**モンゴル帝国を継承した新興のロシア帝国**だった。**一九世紀のイギリスはユーラシア各地で南下するロシアに対し、海から封じ込める「グレート・ゲーム戦略」（ロシア封じ込め）で対抗した。**ロシア帝国は第一次世界大戦中の革命でソ連に引き継がれたが、ソ連も**ハート・ランド**からユーラシア全体に大きな影響力を発揮した。

歴史の読み方❺

マッキンダーは、一九世紀の後半以降に**鉄道建設**が進んだことにより、ランド・パワー（大陸国家）のリム・ランド（周縁地域）への進出の脅威が増したと指摘した。

彼は、シベリア鉄道でロシアの脅威が格段に増したとして、海洋国家が連携してハート・ランドのロシアを封じ込める必要を説いている。

日露戦争は、そうした戦争だった。その二一世紀版が、ヨーロッパにつながる高速鉄道によりユーラシアを支配しようとする中国の「一帯一路」ということになる。「一帯一路」は、経済構想であると同時に、覇権構想でもあった。最初は、アジアと直結できることを歓迎していたEU（欧州連合）諸国も、構想の政治的ねらいが明らかになるにつれて反発を強めている。

5 中間域のリム・ランド

ハート・ランドの周縁

マッキンダーは、ハート・ランドをとりまく国々を一括して「半月弧」と呼び、

以下のように「内周」と「外周」の二グループに分けた。

①**内周の半月弧**（半月弧は「**周縁**」の意味）……ヨーロッパ、中東、インド、中国

②**外周、または島**（日本、イギリス）**の半月弧**……イギリス、南アフリカ、オーストラリア、アメリカ、カナダ、日本

とても大まかな分類だが、それなりによく考えられており、世界の配置が戦略的に把握しやすくなる。二つのグループのうち、**①の「内周の半月弧」が、大陸国家と海洋国家の境界に位置するリム・ランド**（**周縁地域**）**になる。**

リム（Rim）というのは「**辺境**」「周縁」という意味で、ハート・ランドと海洋国家の双方の辺境になるため、両者の「中間地域」ということになる。リム・ランドの国々は、両生類のように「陸」と「海」の両方の性格を兼ね備えた。

それに対して、②の「外周、または島の半月弧」は、ハート・ランドに対抗するシー・パワーの海洋国家を指す。

日本は地政学的に見ると、きわめて優れた条件を持つ**島嶼国**である。国土面積では世界六〇位くらいの日本が、排他的経済水域の面積では六位になることだけ見ても、それはわかる。

しかし、日本列島では、コメが豊富に収穫できたために、あたかもランド・パワーのような歴史が展開された。海洋国家としての優れた地理的条件に恵まれた列島に陸の社会が乗っているという**ネジレ現象**に、日本の歴史の特殊性がある。日本は、海洋国家としての優位性を十分に発揮できずに潜在力として保持したまま、列島内に立てこもってきたのである。

マッキンダーが強調したリム・ランドの海洋国家

現在、領土が島からなっている島嶼国は世界に約四〇カ国あるが、その規模は概して小さい。そのうち、最大の人口と排他的経済水域を持つ**国が**、**インドネシア**である。日本も島嶼国のうち、人口は二番目、排他的経済水域はニュージーランドに次ぐ三番目の国であり、まぎれもなく大島嶼国である。

また、文明が栄えた大陸と隣接しているという点で、特殊な位置関係にある。同様の位置関係にあるヨーロッパのイギリスと、日本の規模を比較してみると、以下のようになる。

〈イギリス〉本土の領土二四万三〇〇〇平方キロメートル、人口六六八〇万人（二

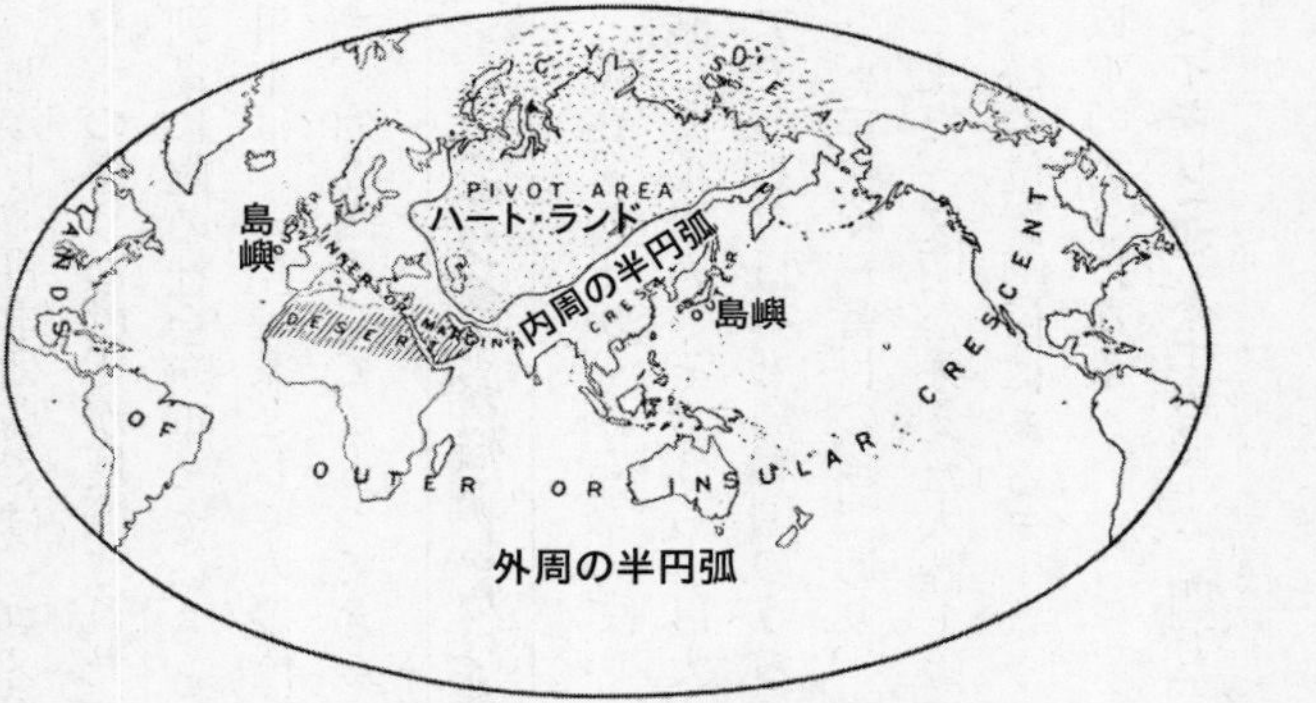

マッキンダーの世界地図（原地図に一部文言を追加）

○一九年）

〈日本〉領土三七万八〇〇〇平方キロメートル、人口一億二六三〇万人（二〇一九年）

日本はイギリスよりも、領土、人口で勝っている。決して小さな島嶼国ではないといえる。それゆえにマッキンダーの概念図でも、**日本とイギリスは大陸に隣接するouter（外周）**と、とくに注記されている。

では、イギリスと日本は、どこが違うのだろうか。現在の地政学では、島嶼国は海洋国家としての地理的条件に恵まれているだけであり、そのまま「海洋国家」にはならないとし、

①国の経済が海上の交易力に大きく依存している
②国の防衛が海洋軍事力に重きを置いている
③国際海洋法の秩序を重んじている
という三条件が必要だとしている。

日本の現状を考えると、②の部分でアメリカへの依存度がきわめて高いことが特殊である。近年、台湾問題などで意識され始めているが、「海洋国家」としての自己認識を踏まえたシステムづくり、国際関係づくりが弱い点が気になる。アメリカが「世界の警察官」であり続けることを前提にしているためであろう。

リム・ランドは紛争多発地域

アメリカのジャーナリスト出身の地政学者**スパイクマン**は、第二次世界大戦中に**エアー・パワー**（**航空兵力**）が強大になったという認識を踏まえ、**リム・ランド**の重要性を指摘した。「**リム・ランドを制する者が世界の運命を制す**」というのが、彼の指摘である。

現在のアメリカは、このスパイクマンのリム・ランド理論にもとづいて外交政策

を展開している。「ハート・ランドを制する者が世界を制す」とした、マッキンダーの理論が改められたことになる。現在のロシアには、かつてのような力はない。

リム・ランド諸国は海に沿っていて、①温暖、②比較的雨が多い、③農業が盛ん、④文明や都市が成長した地域であり、経済成長の最先端に立っている。しかし、この地域は軍事的には弱体で、長い間、ハート・ランドの軍事力により脅かされてきた。

一九世紀以降、シー・パワーの力が強くなると、リム・ランドは、**ハート・ランドとシー・パワーが争い合う地域**に変わっていった。リム・ランドを舞台に、ランド・パワーとシー・パワーの間で覇権をかけた争いが繰り返される。**第二次世界大戦後の、朝鮮戦争、ヴェトナム戦争、湾岸戦争、イラク戦争、現在の台湾をめぐる争いなどは、いずれもリム・ランドで起こっている。**

リム・ランドと接するマージナル・シー

世界海のうち、大陸の外側に位置する弧状の列島、群島、半島などに取り囲まれる海域を、とくに**マージナル・シー（縁海）**と呼ぶ。マージナル・シーは、リム・ランドと一体で、大陸国家、半島国家、海洋国家などの争いの場になった。
①ヨーロッパのイタリア半島の東のアドリア海、イオニア海、エーゲ海、イタリア半島の西のティレニア海、リグリア海、北ヨーロッパのバルト海、北海
②西アジアの紅海、ペルシア湾
などがそれに当たる。

東アジア海域では、現在、**南シナ海と東シナ海**という**マージナル・シー**が国際紛争の焦点になっている。南シナ海の囲い込みと台湾、尖閣《せんかく》諸島をめぐる紛争である。元来、ランド・パワーである中国には、海の世界に進出する足場が少ない。なにせ海岸線は、日本の約半分にすぎない。そこで中国は、台湾海峡でつながる南シナ海、東シナ海というマージナル・シーを囲い込むことを目指す。

しかし、それらの海域は東アジアの公海のなかの公海であり、ランド・パワー中国の進出は、海洋国家日本、ヴェトナムなどのリム・ランドの国々の利益を脅かす。ランド・パワーの中国の進出が、シー・パワーのアメリカ、台湾、日本、ヴェトナム、フィリピン、インドネシアとの間に深刻な対立を生み出している。

ランド・パワーの中国は、「ヨーロッパとは違って、自国は清帝国の領土を引き

継ぐ権利がある」と主張するが、内陸部を中心とする清の境界認識は曖昧であり、国力により膨張と収縮を繰り返した。それに軍事力により隣接地域を併合してきた遊牧的な帝国は、近代国家とは同一視できない。辛亥《しんがい》革命により樹立された中華民国は、分裂・抗争を繰り返し、現在に至っているとも見なしうる。

今まで、ランド・パワーのロシア帝国、ドイツ、ソ連(現在のロシア)はシー・パワーを併有しようとして、失敗を繰り返してきた。ランド・パワーの中国の海洋進出もきわめて難しいといえる。

緩衝地帯とは

リム・ランドを考える際に、「**緩衝地帯**」は有効である。

複数のランド・パワーの大国、あるいはランド・パワーとシー・パワーは、紛争を和らげ、紛争による不利益が直接自国に及ばないようにするために、どちらの勢力に帰属するのか曖昧な地域を設け、互いの衝突を和らげた。それが、**緩衝地帯**である。そうした地域は、**諸国間の代理戦争の場**とされることが多かった。

ハート・ランドのロシアとイギリスなどのシー・パワーの緩衝地帯となったの

が、東欧諸国。欧米諸国と、中国、インドなどの緩衝地帯になったのが東南アジアだった。

一九世紀後半から二〇世紀初めにかけて、ハート・ランドのロシアがユーラシア各地に南下を進めると、東欧、オスマン帝国、アフガニスタン、東トルキスタン、朝鮮半島などが緩衝地帯になった。

ロシアが満洲から遼東半島、朝鮮半島に南下した時に、イギリスと日本は朝鮮半島を東アジアで南下を続けるロシアに対する緩衝地帯と位置づけた。シー・パワーのアメリカもそれを支持している。もともと伊藤博文などは、朝鮮が親日的で独立しているのが好ましいと考えていたが、国際政治がそれを許さなかった。ロシア帝国の朝鮮半島への南下を視野に入れることなく、一九一〇(明治四三)年の日韓併合は考えられない。

併合の後、日本は緩衝地帯が十分に機能するように、朝鮮半島のインフラ整備と社会の強靱化(近代化)に努めた。日本が朝鮮を併合後、ソ連との新たな緩衝地帯が必要になり、日本の満洲への侵攻がなされる。軍事面だけを考えれば、コストがかかる日韓併合はやめて軍隊の駐屯だけという方法もあったが、当時の日本はコストをかけて、朝鮮半島のインフラ整備、「近代化」による強靭化を選択したのである。

第二次世界大戦後も、ランド・パワーとシー・パワーの接点には、緩衝地帯が設けられた。東西に分断されたドイツ、南北に分断された朝鮮半島、ヴェトナム戦争の場となったインドシナ半島、西欧がソ連（ロシア）・東欧と対峙《たいじ》するためのトルコ、ギリシアなどが代表的な緩衝地帯ということになる。

6 マハンが解明した「シー・パワー」

アメリカの国家戦略の土台となった『海上権力史論』

陸上の弱小国だったイギリスが海洋勢力として台頭し、一九世紀に覇権を確立した過程を体系的に研究し、**シー・パワー**（海上権力）**を理論化したのが、アメリ**

カの海軍大学校で「戦史」を教えていたアルフレッド・マハンだった。

彼は大陸国家の陸軍を中心とするランド・パワーとは異なり、海に依存する海洋国家は、海運・通商と、それを守る海軍を中心に、多くの航路により世界各地に設けた「拠点」をつないで交易圏を広げることで繁栄できるという海洋国家のあり方を示した。マハンは、海洋国家の利益を守るための組織全体を指して、**「シー・パワー」**と呼んだのである。マハンは、南北戦争で北軍士官として南部の海上封鎖に従事した後、極東派遣艦隊の一員となり、明治維新の前年に日本を訪れている。

一八九〇（明治二三）年、西部開拓で驚異的な経済成長を遂げたアメリカが、新たな世界戦略を模索し始めた時期に、**マハンは『海上権力史論』を著し、アメリカの国家戦略は太平洋への海洋進出だ、と説いた。**歴史の浅い新大陸にはアメリカと対抗できる強国は存在せず、アメリカが海洋国家として再出発することが可能だったのである。

マハンは、シー・パワーをつくりあげるための基礎的な条件として、以下の六つをあげている。

①その国の**地理的位置**（両海岸が海に面するという**島嶼性**）
②**地勢的条件**（たとえば、**湾口に富む海岸線**）、航海を盛んにさせるような気候、交易に利用できる物産
③**国の領土の大きさ**（資源と富を供給できる領土的基盤）
④**人口**（必要な数の**船乗りを供給でき**、海洋活動をサポートできる人口的な基盤）
⑤**国民性**（**海洋的志向**の強さ、船乗りの生活に対応できる適性）
⑥**進取的な海洋政策を推進できる政府**とリーダーの存在

マハンはそのなかでも、とくに①と②を重視した。こればかりは天与のもので、人為的に獲得できるものではないからだとしている。

一八九〇年に書かれた「海上権力の歴史におよぼした影響」という小論（『マハン海上権力論集』麻田貞雄編・訳、講談社学術文庫）で、マハンは①について次のように述べている。

もし一国が、攻撃に出るのに便利であるうえに、容易に外洋に出ることができ、さらに世界の大通商路の一つを支配できるような地理的位置に恵まれ

ているときは、その位置の戦略的位置が、きわめて高いことは明らかである。このような位置に現在イギリスは置かれており、過去においてはなおさらそうであった。

マハンは、それぞれの国がどの程度のシー・パワーを育てることができるかは、そうした地理的条件にかかっており、領土の広さ、人口の多さが主ではないと説いている。世界史の代表的シー・パワーのフェニキア、ポルトガル、オランダ、イギリスは、いずれも本国は小国であり、多くの「拠点」と大ネットワークにより成長した。海洋帝国の母国は、地理的条件にさえ恵まれていれば、小国でもさしつかえなかったのである。シー・パワーは、「ネットワーク形成・維持能力」と言い換えてもよい。

マハンは、生産、生産物を交易するための**商船隊**、商船隊を守る**海軍**、輸送を効率化し、輸送力を増加するための**海軍基地・植民地（海の根拠地）**などが、**シー・パワー**の中身になる、と説いている。

現代の軍事・外交、国際関係に大きな影響を与えたマハンの理論

マハンの主張は、アメリカだけではなく、シー・パワーへの転換を図るドイツ帝国、日本にも大きな影響を与えた。小説家、司馬遼太郎氏が書いた『坂の上の雲』の主人公で、日露戦争で旅順港の攻撃、バルチック艦隊との日本海海戦で活躍した参謀、秋山真之《さねゆき》は、私費で留学してマハンに師事している。

マハンの『海上権力史論』は一八九六（明治二九）年に日本語訳され、全国の旧制中学校、旧制高等学校、師範学校に配布された。明治の日本は、シー・パワーを目指していたのである。

ドイツでも、「老いた水先案内人（ビスマルク）に代わって、私がドイツという新しい船の当直将校になった」と自称したドイツ皇帝ヴィルヘルム二世がマハンに傾倒した。ヴィルヘルム二世の命でドイツ語訳された『海上権力史論』は、海軍の大・小の軍艦に常備された。

ヴィルヘルム二世は、巨艦の大量建造でシー・パワーを急速に拡大。旧来の軍艦が役に立たなくなってしまうことを恐れるイギリスとの間で激烈な建艦競争を

展開し、オスマン帝国とインド洋への進出を目指した。それが、第一次世界大戦を勃発させてしまう。

歴史の読み方❻

アメリカはマハンのシー・パワー理論を踏まえて、着実に世界支配の体制を築いた。米西戦争、パナマ運河の建設、第一次世界大戦、太平洋戦争、第二次世界大戦、ソ連との冷戦を経て、現在では世界の主要な海峡・運河（チョーク・ポイント）を抑え、世界のエネルギー・物産の輸送ルートを地球規模で支配。約一五〇カ国に五〇〇以上の基地を置き、一万人の戦闘力に匹敵する空母打撃群一一を主要な海域に展開することで、圧倒的なシー・パワーとなっている。

7 海の地政学の核心「チョーク・ポイント」

覇権の維持に重要なチョーク・ポイントの支配

「海」の世界は、航路《ルート》が織りなす大きなネットワークにより成り立っている。そのため陸上とは違い、石油などの重要資源の輸送ルートの確保がパワーの源泉になった。しかし、航海のたびごとに航路はアワとなって消えてしまい、陸上のように固定された「道路」はできない。そのため航路は分散し、広い海域の管理にはとてつもないコストがかかった。

ただ、海域と海域がつながる海峡、航路が陸地に接近した時の「玄関口」になる狭い海域には多くの国の船が集まり、それぞれの国の「核心海域」になった。そうした戦略上重要な海域が、「**チョーク・ポイント**」と呼ばれる。

「**チョーク**」とは、もともとは「窒息させる」「息苦しくさせる」というような意味だが、海上では、**航路が極端に狭くなる場所**を指している。船が必ず通過しなければならないチョーク・ポイントを抑えれば、低いコストで効率よく他国の船をコントロールすることができた。そのために、チョーク・ポイントの支配が、シー・パワーの中心になっている。チョーク・ポイントをめぐる国際紛争が多発するのは、そのためである。

世界史では、イギリス海峡、ジブラルタル海峡、バブ・エル・マンデブ海峡、ホルムズ海峡、マラッカ海峡、パシー海峡、台湾海峡、ボスポラス海峡などが、重要なチョーク・ポイントとなった。一九世紀後半以降になると、スエズ運河、キール運河、パナマ運河などの人工的なチョーク・ポイントもつくられている。**一九世紀のイギリスの覇権、二〇世紀、二一世紀のアメリカの覇権は、重要なチョーク・ポイントを支配することで確立され、維持された**。アメリカは同盟国とともに世界の主要なチョーク・ポイントを支配し、空母を中心とする他の追随を許さない海軍を持ち、世界の一五〇カ国に五〇〇以上の基地を持っている。

しかし、そうした覇権体制の維持には莫大な軍事費がかかる。トランプ前大統領の時代に露になった国内対立の激化と財政の悪化が、アメリカの海洋支配のネックになっている。経済のグローバル化を利用して、世界企業がタックス・ヘイブンなどを利用して節税。それがアメリカの財政難、海洋秩序の維持力の低下につながっている。海洋秩序の安定からいちばんの恩恵を得ている世界企業は、世界のインフラ維持のためのコストを分担する責任があろう。

新たな海上覇権を目指すランド・パワーの中国は、経済力をつけて世界第二位のGDP（国内総生産）を持つようになると、石油資源の確保に向けて中東航路を支配するために、各国に港を確保したり、南シナ海を囲い込んだりするなどにより、中東への航路の支配を目指している。しかし、最近は、不動産バブルの崩壊、高齢化、「中所得国の罠」などで、財政的な困難が増大している。

地政学では、ランド・パワーの国はほかの国との領土争いに強力な陸軍が必要になるため、同時にシー・パワーを整えることはできないとしている。

チョーク・ポイントをたくさん持つ海洋大国・日本

東アジアの「逆さ地図」を見るとわかるが、かつて日本海が湖だった関係もあって、アジア大陸の先の**日本は「チョーク・ポイント」をたくさん持つ、特異な国**

家である。世界にこんなに多くのチョーク・ポイントを持つ国は珍しく、その経済的、軍事的価値は大である。

日本周辺のチョーク・ポイントは、以下のようになる。

日本周辺のチョーク・ポイント

対馬海峡……東シナ海と黄海、日本海をつなぐ、台湾海峡と並ぶ、東アジアのもっとも重要なチョーク・ポイント

大隅海峡……東シナ海と太平洋をつなぐチョーク・ポイント

宮古海峡……東シナ海と太平洋をつなぐチョーク・ポイント

津軽海峡……日本海と太平

洋をつなぐチョーク・ポイント

宗谷海峡……日本海とオホーツク海をつなぐチョーク・ポイント

択捉《えとろふ》海峡……オホーツク海と太平洋をつなぐチョーク・ポイント

現在、問題になっているのは、中国海軍が太平洋に出るために利用する沖縄本島と宮古島の間の宮古海峡、東シナ海と日本海の間の対馬海峡である。

韓国が日本海の名称を「東海」に改めろと盛んに主張しているが、中国では東シナ海の呼称が「東海」である。両者の主張を合わせると、日本海が将来、東海(東シナ海)に吸収される危険性も考えられる。「日本海」の呼称は必要である。対馬と対馬海峡は、歴史が示しているように日本の海の要衝《ようしょう》なのである。

ロシアには、極東最大の軍港ウラジオストックがある日本海から外洋に出る海峡が、きわめて重要になる。日本海には外洋とつながる四つの海峡があるが、いちばん北の間宮海峡はきわめて浅いために、原子力潜水艦は通過できない。そうすると、日本の宗谷、津軽、対馬の三海峡のいずれかを通過せざるをえなくなる。

冷戦時代に、日本列島はソ連にとっては地政学的に、衝立《ついたて》のように立ちはだかる列島だったのである。

島に閉じこもっていると見えてこないが、日本は、台湾海峡に面する台湾、七六〇〇以上の島々からなり、ルソン海峡、パシー海峡に面するフィリピン、一万三〇〇〇余の島々からなる海洋大国インドネシア、マラッカ海峡に面し、ボルネオ島北部とマレー半島からなるマレーシアにつながる弧状に配列された島々の北端に位置する東アジアの海洋国家なのである。

それでは、以上のような地政学の基礎・基本をふまえて、海の世界史をたどってみることにする。

第二章

地中海の最初の海洋帝国

シー・パワーのフェニキア帝国とランド・パワーのローマ帝国の争い

1 フェニキア人 VS. ギリシア人

三つの大陸に囲まれる交易の海

日本海の約二・六倍もある地中海は、アフリカ、アジア、ヨーロッパの三つの大陸に囲まれた特殊な海である。しかし、**地政学的に見ると、地中海は、アジア、ヨーロッパ、アフリカの諸大陸の間の巨大なマージナル・シーであり、ランド・パワーとシー・パワーがぶつかりあう海域**だった。

また、地理的に見ると、地中海は、乾燥地帯の西アジアとつながる「**乾燥の海**」でもある。地中海の東には**アラビア砂漠**があり、南にはアフリカ大陸の三分の一を占める**サハラ砂漠**がある。地中海というと、ワインの原料のブドウ、オリーブ、イチジク、ナツメヤシ（デーツ）を思い浮かべるが、それらはみな、乾燥地の作物なのだ。

日本の年間降水量は約一七〇〇ミリメートルだが、クレタ島のクノッソスは約五〇〇～六二〇ミリメートル、アテネは約四〇〇ミリメートル、カルタゴは約四七〇ミリメートル。しかも地中海性の気候であり、植物が成長する夏にはほとんど雨が降らず、冬に雨が集中する。

夏は暑くて仕事にならないので、スペインでは午後に昼寝《シエスタ》の習慣がある。地中海の中央部のシチリア島などでは学校の夏休みが三カ月もあり、朝食にはエトナ山から切り出した氷でシャーベットをつくって毎日食べるという。

夏の乾燥により穀物不足が深刻で、地中海では、エジプト、**シチリア島**、黒海北岸のウクライナなどの限られた地域の穀物に依存しなければならなかった。

強力な商業民フェニキア人

前一一世紀以降、エジプトの穀物と結び付いた交易民が、陸のユダヤ人と並び、レバノンの海洋民フェニキア人だった。地中海東岸のレバノン（冬は雪、夏は石灰岩で山が白く見えたことによる。「白い」の意味）も、現在の首都ベイルートの年間降水量が平均七三〇ミリメートル弱であることが示すように乾燥しており、山が海岸近くにまで迫っているために畑に恵まれなかった。

ところが、レバノンの背後には、成長すると高さ四〇メートルにもなるレバノン杉の繁る山脈があった。フェニキア人は山から巨木を切り出し、宮殿や神殿の梁《はり》の材料として、貧弱な木しか育たないエジプトやメソポタミアに売り込んだ。現在のレバノン国旗の真ん中には、レバノン杉（ヒマラヤ杉に似ている）が誇らしげに鎮座している。

フェニキア人の船（シドンの浮彫り）
写真提供：GRANGER／時事通信フォト

しかし、長期間、あまりにも多くの杉を切り出したために、現在のレバノン山脈には巨木はほとんど残されていないという。

フェニキア人は根っからの商業民で、戦略的に島々、港を結ぶネットワークをつくりあげた。古代ギリシアの詩人ホメロスはフェニキア人について、「黒い船のなかに数しれない商品を持つ強欲な船乗り」と記している。

ちなみに、フェニキアという名は自称ではなく、他称だった。いろいろな説があるが、フェニキア人が売買した「フォイニクス」という高価な赤紫色の布を語源とする説が有力である。フォイニクスは、巻貝ミュレックス（和名はアクキガイ）の内臓を集めてつくられた染料で染められた布だったが、その染料は六万個の巻貝からわずかに五〇〇グラムしかできなかったという。各地の支配者が競って買い集める、有名ブランドだったのである。

2　フェニキア帝国

戦略的につなげられた島と港

フェニキア人は帆船貿易により、地中海に世界初のシー・パワーの帝国をうちたてた。彼らは、レバノンに、**シドン**（現在のサイダー）、**ティルス**（現在のスール）、**ビ**

ブロスなどの港（都市国家、港）を開き、**エジプト**、シチリア島、メソポタミアなどから穀物を調達し売りさばいた。**西アジアにペルシア帝国が形成されると、その保護下に入って持ちつ持たれつの関係になる。**

彼らは、地中海の中央部に連なるシチリア島、サルデーニャ島、バレアレス諸島、イベリア半島を結んで横断航路を拓いた。前九世紀末には、**東地中海と西地中海をつなぐチョーク・ポイントのシチリア海峡を支配するカルタゴ**（「新しい都市」の意味）**という大拠点を北アフリカのチュニジアに設け、地中海東岸からイベリア半島に至る海洋帝国のネットワークをつくりあげた。**古代地中海のグランド・デザインは、フェニキア人により描かれたのである。

フェニキア人の商売敵《がたき》になったのが、後発の古代ギリシア人である。**前八世紀から前六世紀までの二〇〇年間は古代ギリシア人の「大植民の時代」**で、イタリア半島南部、シチリア島、黒海沿岸などにギリシア人の多くの植民市が建設され、フェニキア人にチャレンジすることになる。

文明の誕生以来、世界史は五〇〇〇年以上続いてきたが、その空間（世界）は時とともに膨張・緻密化《ちみつか》した。フェニキア人がマージナル・シーの地中海に成立させた海洋帝国の規模は、その海域が狭かったことから、ポリネシアン・トライアングル、のちのポルトガル人やイギリス人の海洋帝国に比べると著しく小さかった。しかし、地中海という海の規模を考えれば、**フェニキア人が世界初の海洋帝国を出現させた**と考えてもよいであろう。

チョーク・ポイントのシチリア海峡とカルタゴ

古代の地中海のチョーク・ポイントとして、重要な位置を占めたシチリア海峡について述べておこう。東地中海（**開発が進んだ海域**）と西地中海（**未開発の海域**）は、南北につらなる「イタリア半島」「シチリア島」と二つの海峡により二分された。そのつながり具合は、次のようになる。

イタリア半島―**メッシーナ海峡**―シチリア島―**シチリア海峡**―カルタゴが建設されたチュニジア（アフリカ北部）

地中海を東・西に分ける線上の二つの海峡のうち、北のメッシーナ海峡（長さ約三〇キロメートル）は、渦潮《うずしお》で有名な明石海峡のように潮の流れが速く、古代の船では通過が困難だった。そのために、南の**シチリア海峡**（幅一五〇キロメートル）が、チョーク・ポイントになった。

レバノンのティルスが、**シチリア海峡**に面した**カルタゴ**に目をつけて植民した背後には、アッシリア、新バビロニアなどが台頭して、レバノンの地が脅かされるという国際政治の背景もあった。それが証拠に、カルタゴの建設とほぼ同時期に、イベリア半島のカディス、バルセロナなどにもフェニキア人の植民が行われている。フェニキア人は西に勢力を伸ばし、カルタゴという拠点港の建設による海洋帝国の再編を図ったのである。

古代ギリシアの伝説では、兄のピグマリオンとの政争に敗れたティルスの絶世の美女エリッサが、カルタゴのもとを築いたことになっている。カルタゴにたどり着いたエリッサは先住民のリビア人に一枚の牛の皮を見せて、それで覆《おお》えるだけの土地を与えてくれるように依頼する。リビア人がその程度の土地ならばいいだろうと承諾すると、エリッサは皮を裂いて紐《ひも》をつくり、広大な土地を囲い込んだという。リビア人はビックリしたが、後の祭りだった。その土地が「ビュルサの丘」(Byrsa Hill) と呼ばれカルタゴの中心地になる。商売敵の古代ギリシア人は、フェニキア人の抜け目のなさを語るために、そのような話をつくったのだろう。チュニス湾を一望に収める半島の高台に建設されたカルタゴは、運河でつながれた二つの港と要塞からなっていた。交易と海峡を支配するための軍事の拠点だったのである。また、西地中海支配の拠点でもあった。カルタゴで使われたポエニ（フェニキア人の意味）語、アルファベットは西地中海の共通文字となり、鋳造したカルタゴ・コインが西地中海共通の貨幣になっている。

前四世紀に、マケドニアのアレクサンドロス三世（大王）の東方遠征で、ペルシア帝国と組んでいたレバノンのシドン、ティルスが廃墟にされると、フェニキア人はカルタゴを中心に海洋帝国を再編することになる。

カルタゴの貨幣
写真提供:GRANGER／時事通信フォト

ザマの会戦はカルタゴの戦略的錯誤

ところが、イタリア半島に共和政ローマが台頭すると、カルタゴも安全ではなくなる。結局、**カルタゴとローマ・ギリシアの連合勢力の間のポエニ戦争**（**前二六四～前一四六**）**が**、**古代地中海の最大の戦争**になった。それは、**ランド・パワーのローマとシー・パワーのカルタゴの間の大戦争**だったのだが、同時に**フェニキア人と古代ギリシア人の、海の商業民同士の覇権争い**でもあった。

もともと、「海の世界」と「陸の世界」が接する**リム・ランドでの戦争**なので、ローマとカルタゴの双方がシー・パワーとランド・パワーの両面を備えるようになる。シー・パワーのカルタゴは、イベリア半島、北アフリカを支配するためのランド・パワーも持っていた。一方のローマも、もともとはイタリア半島中部の軍事都市がランド・パワーとしてイタリア半島を統一。**第一次ポエニ戦争**（**前二六四～前二四一**）の際に初めて海上の戦争を行うのだが、その際に、フェニキア人と戦えるシー・パワーを持つようになる。

ポエニ戦争での天下分け目の戦いは、ハンニバルが戦象《せんぞう》を率いてアルプスを越え、背後からイタリア半島を急襲したことで有名な、**第二次ポエニ戦争**（前二一八～前二〇一）である。ローマを奇襲したカルタゴ軍は圧倒的優位に立ち、イタリア半島南部の**カンナエの戦い**（カンネーの戦い、前二一六）では、わずか一日でローマ軍を破ってしまった。カルタゴは、陸上の戦いでもローマを圧倒したのである。

最大の激戦となった**ザマの戦い**（前二〇二）でも、カルタゴは傭兵を中心にローマ軍と互角の五万人の歩兵、三〇〇〇人の騎兵、八〇頭の戦象を動員している。

カルタゴは、なまじ陸上での戦いに自信を持ってしまったばかりに海上ではなく陸上での短期決戦に応じ、シー・パワーの強みを発揮することなく敗北してしまった。カルタゴの敗因は、次のようになる。

①「拠点」と航路からなるネットワーク帝国のカルタゴは、海軍が中心で、領土の拡張はあまり必要でなかったために、ランド・パワーが弱かった。

②ハンニバルは、イタリア半島の反ローマ勢力と連携してローマを孤立させるという戦略を持たなかった。

③カルタゴでは海軍は市民が中心だったが、陸軍はリビア人などの傭兵が中心だった。

④カルタゴ陸軍は職業軍人により指揮されていたために統制が十分に及ばなかった。軍人個人が自分の利益で動く傾向が強かったためである。

ザマの戦いでカルタゴが敗北すると、共和政ローマはカルタゴを従属国とし、次のような厳しい講和条件を押し付けた。さすがに軍事国家ローマは、その辺は手慣れたものである。

①カルタゴはローマの同盟都市としてその支配下に入る。

②シチリア島、サルデーニャ島、スペインなどのカルタゴの植民地をローマに譲る。

③ローマの許可がなければ、カルタゴは第三国と交戦してはならない。

④多額の賠償金の支払い。

普通だと、これで参ったということになるのだが、カルタゴは参らなかった。海の交易ネットワークが強靭なまま生き残っていたからである。カルタゴ経済はただちに復興し、ローマがカルタゴに懲罰として科した巨額の賠償金は、繰り上げで完納された。

その後、海の帝国カルタゴの底力を恐れたローマは、カルタゴが、侵略してきたヌミディア人とローマの許可を得ずに戦ったことを口実に、**第三次ポエニ戦争（前一四九～前一四六）**を仕掛け、カルタゴを廃墟に変えてしまった。カルタゴの町は焼き払われ、人が住めないように市街地には塩がまかれ、生き残ったカルタゴ人はすべて奴隷にされたという。**海洋帝国の首都カルタゴは、悲惨なかたちで世界地図から抹殺され、ローマの属州アフリカとされたのである。**

歴史の読み方⑧

シー・パワーの国が、ランド・パワーの国との戦いで自分にあった戦略を立てることは難しい。カルタゴもなまじハンニバルの遠征が成功したために自らのランド・パワーを過信してザマで敗れた。本来はシー・パワーであった昭和の日本も、陸軍が強力であったがゆえに、中国大陸での戦争に深入りして自滅したといえる。

カルタゴの地中海ネットワーク

カルタゴを中心とするフェニキア人の交易ネットワークは、次のようになっていた。地中海の島々と港を結ぶカルタゴのネットワークは、変形しながらビザンツ帝国、イスラーム帝国、イタリア諸都市に引き継がれていった。フェニキア人がつくりあげたカルタゴを中心とする地中海中央部のネットワークを見ておこう。

①トルコ半島の南に位置する**キプロス島**。地中海で三番目に大きいキプロス島は、代表的な銅の産地であり、鉱産資源が豊かなトルコ半島への中継地でもあった。キプロスとは、フェニキア語で「糸杉」の意味である。糸杉はルネサンス期のイタリアに伝えられるが、古代エジプトやローマ帝国では生命と豊饒《ほうじょう》のシンボル、神聖な木として好まれ、この島の名前になった。画家ゴッホは、生命力あふれる糸杉を好んで描いている。

②地中海最大の島**シチリア島**（英語ではシシリー島）。この島は、フェニキア語で「シクリ（鍬）を持つ人、つまり農民の土地」と呼ばれたように、多くのフェニキア人が移住して穀物の栽培にあたり、カルタゴの食糧庫になった。同島の東側には、シラクサという都市を中心にして古代ギリシア人が移住。両者の間で激しい土地争いが起こり、それがポエニ戦争につながった。シチリア島の北西部に位置する中心港が、**パレルモ**。イタリア半島各地に進出するフ

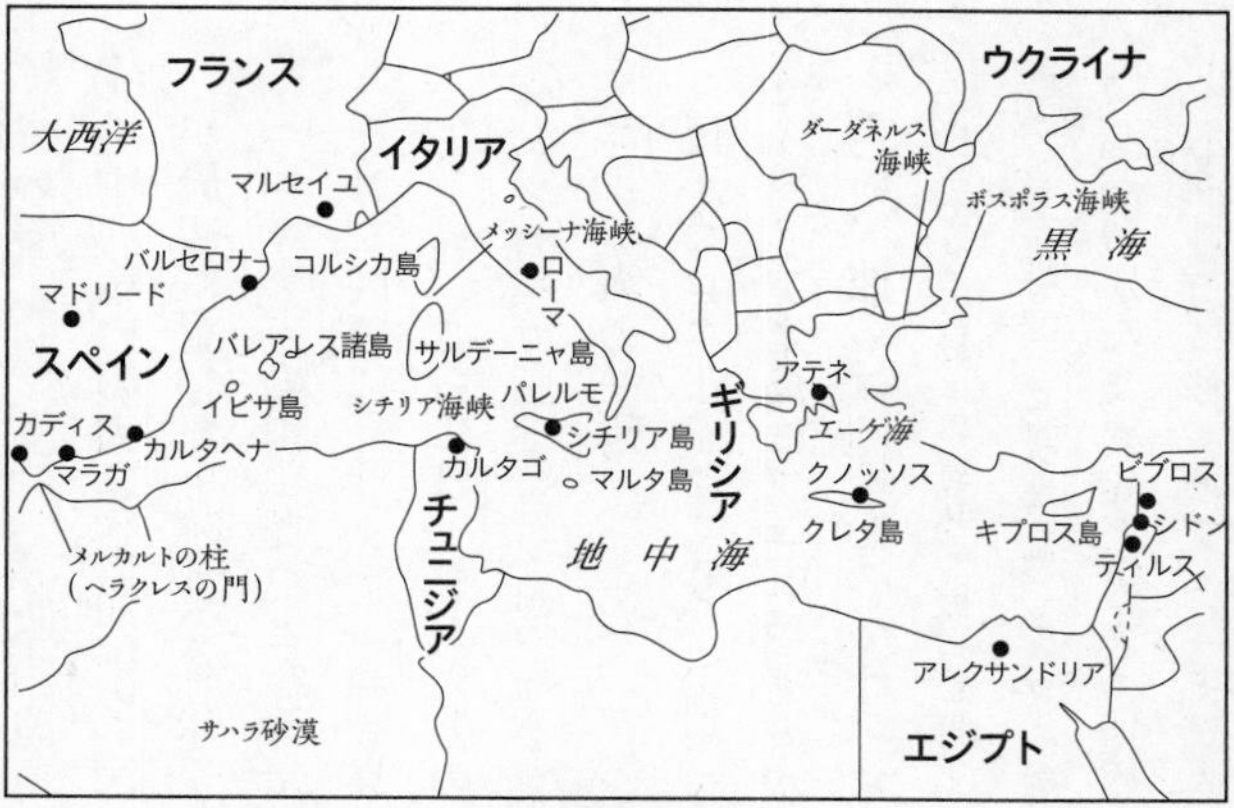

地中海と主な諸都市

エニキア人の「拠点」として栄えた。もともとはフェニキア語で「ジズ（花の意味）」と呼ばれていたが、のちにギリシア語でイタリア半島の「**すべてが港**」の意味の、「パノルムス」と呼ばれるようになった。

③

シチリア島の約九〇キロメートル南に位置し、北アフリカの諸都市との間の「拠点」とされたのが**マルタ島**。マルタは、古代フェニキア語で「避難所」を意味する「マレス」が由来。初夏に、サハラ砂漠からイタリア南部に向かって吹きつける「シロッコ」を一時的に逃れる港だった。一九世紀のイギリスでも、地中海の帆船航路の拠点にされている。

④地中海第二の大きさ（四国の一・三倍）の**サルデーニャ島**。フェニキア語で「神が最初に記した足跡」の意味である。この平坦な島は、シチリア島に次ぐフェニキア人の重要拠点となった。小麦が栽培されて、カルタゴを支えている。それと同時に、サルデーニャ島は、西地中海のスペイン、フランス、イタリア半島、さらにはアフリカとの交易の拠点になった。

⑤マジョルカ島（ラテン語で「大きな島」の意味）で有名な**バレアレス諸島**で、フェニキア人の「拠点」となったのが**イビサ島**。島にはカルタゴからの多くの移民がコロニーをつくり、染料、塩、ガルム（魚醬《ぎよしよう》）の製造が行われた。

⑥イベリア半島にフェニキア人が最初に進出したのは、前一二世紀ときわめて古い。彼らは同地をスペイン（フェニキア語で「ハイラックス〈耳を小さくしたウサギ〉の多い島」の意味。彼らが野生のノウサギをハイラックスと誤認したことからつけられた地名）と呼んだ。フェニキア人は最初、イベリア半島を銀などの鉱産資源が豊かな交易先と考え、植民地にはしなかった。その後、長い時間をかけ、沿海地方に多くのフェニキア人が移住。海の帝国の一大拠点になった。南部

に半島支配の中心、**カルト・ハダシュト**（のちに共和政ローマが**カルタゴ・ノヴァ**＝新しいカルタゴと命名。現在のカルタヘナ）が建てられた。第二次ポエニ戦争の際に名将ハンニバルは、この都市からアルプス越えでイタリア遠征に出発する。カルタゴを支える、ランド・パワーの中心だった。

⑦イベリア半島北東部の**カタルーニャ地方**も、フェニキア人が開拓を進めた。現在、サッカーのＦＣバルセロナの根拠地になっているスペイン第二の商業・観光都市**バルセロナ**は、名将ハンニバルが属したバルカ部族の本拠地だった。バルセロナの語源は、「バルカ」にある。

⑧地中海の大西洋への出口に当たるチョーク・ポイントの**ジブラルタル海峡**への中継「拠点」が、**マラガ**（フェニキア語で「商館」の意味）である。マラガは、イベリア半島南部で産出される銀が集まる集散地だった。ジブラルタル海峡のモロッコ側には、交易拠点の**タンジェ**（**タンジール**）が建設された。

⑨ジブラルタル海峡を通過した先の大西洋の小島に、大西洋交易の「拠点」として**カディス**（フェニキア人は「カディィル」と称した）が建設された。好立地のカディスは、西アフリカの沿岸とヨーロッパとを結ぶ交易の中心で、大航海時

代にはスペインの主力港になっている。

⑩ポルトガルの首都**リスボン**も、テージョ川という大河川の河口にある理想的な大交易港であり、前一二〇〇年頃からフェニキア人が交易の「拠点」として植民していた。錫《すず》などの鉱産資源に富むブリテン島（イギリス）南西部との交易の拠点で、「良い港」の意味になる。リスボンは、いわずと知れた大航海時代の中心港である。

歴史の読み方❾

シー・パワーの国は、根拠地、中継地、植民地などを戦略的に組織することで、ネットワークにより広域を支配した。それは、自国に隣接する地域を「面」として占領・同化する、ランド・パワーの国の拡大方法とは全く異なっていた。フェニキア人が築いた「拠点」のマルタ島、カディス、マラガ、リスボン、バルセロナなどは、大航海時代以後の世界史でも海の世界の要所になっている。

大西洋交易の独占

地中海の西の外れがジブラルタル海峡であり、その先が大西洋である。ジブラルタル海峡は最初、フェニキア人が支配し、それを古代ギリシア人が奪った。そうした事実は地名により、理解することができる。

フェニキア人は、ジブラルタル海峡の両側の山を、「**メルカルトの柱**」と呼んだ。「メルカルト」とは、フェニキア人の中心都市**ティルスの守護神**メルカルトを指す。メルカルトは、本来は「冥界の神」である。フェニキア人は、活動する海域が狭くなったことから、メルカルト神が西の端の大地を裂いてフェニキア人の船が大西洋に抜けられるようにし、裂け目が元に戻らないようにするために二本の柱を打ち込んだ、と説いた。

それに対して、ローマ人と提携して遅れて大西洋に進出したギリシア人は、怪力無双の英雄**ヘラクレス**がスペインに住む三頭三身の巨大な赤い雌牛を捕まえにいった際に、この海域に海神と大地母神の間に生まれた巨人アンタイオスが君臨しており、船の通過を許さなかったために、アンタイオスを倒して記念に両岸に二本の杭を打った、と説明した。そうしたことから、海峡を挟む二つの山に、「**ヘラクレスの門**」という名をギリシア人はつけている。

このようにフェニキア人とギリシア人は、ジブラルタル海峡に関係する似たような伝説を持つが、もちろんフェニキア伝説のほうが先である。巨人アンタイオスと巨人ヘラクレスの戦いは、フェニキア人と後発のギリシア人との間の戦いを神話化したと考えられている。

フェニキア人の交易は、地中海を出て大西洋に及んだ。彼らはブリタニア(現在のイギリス)と錫を交易しただけではなく、言葉の通じない人々が住む地域にも商売に赴いた。フェニキア人は、ジブラルタル海峡を越えてモロッコ経由でセネガルに至り、言葉を全く使わずに行う物々交換(**沈黙貿易**)で安価に黄金を得ていた。古代ギリシアの歴史家ヘロドトスは『歴史』のなかで、商人が定められた場所に商品を並べ、合図をして身を隠すと、取引相手が現れてつりあいがとれると思われる品物を並べて去る、それで満足すれば、商人が品物を受け取って取引が成立した、と述べている。

3 チャレンジするギリシア人

美しいエーゲ海は「欠乏」の海

古代ギリシア人が積極的に商業と移民を繰り返したのは、エーゲ海が石ころだらけの、二五〇〇もの島が散在する乾燥した貧しい海域で、食糧を外に求めなければならなかったからだ。

エメラルド・グリーンに映えるエーゲ海は、終日見ていても見飽きない、とても美しい海だ。渇いた空気と陽光が、海をきらめかせる。昭和の時代に、版画家で芥川賞作家の池田満寿夫氏が自身の同名小説を監督した映画の「エーゲ海に捧ぐ」が話題を集め、ジュディ・オングさんが歌う「魅せられて」という歌が大ヒットしたことがある。それを機に一時、日本でもエーゲ海熱が高まった。

ところが、住むことになると、エーゲ海は乾燥（地中海性の気候は夏に雨が降らない）のために、飲料水にも事欠くきわめて大変な世界だった。今でも華やかな観光を取り除けば、ギリシアの地は質素で貧しい。以前にミコノス島の小さな食堂で、「地場の食材でつくったおいしい料理をください」と意地悪な注文をした時に、テーブルの上に並んだのは、新鮮でとてもおいしい小さなイワシの丸焼きだった。

アテネの年間降水量はわずかに三六四ミリメートルで、日本の年間降水量の約五分の一にすぎない。ワインは、「渇き」を強《し》いた神の罪滅ぼしなのかもしれない。

そうしたことでギリシア人は、人口が増えるたびにポリスをつくっては移住、ポリスをつくっては移住を繰り返し、結局一〇〇〇以上の植民市をつくってしまった。しかし、後発のギリシア人は、フェニキア人が抑えるエジプト、シリアのような先進地域にはなかなか進出できなかったのである。

チョーク・ポイントにつくられたビザンティオン

ギリシア諸都市の穀物の調達先になったのが、地中海の奥にある黒海の北岸だった。大穀倉地帯のエジプトは、ランド・パワーのペルシア帝国、シー・パワーのフェニキア人の連合勢力がすでに抑えていたためだ。

古代ギリシア人は、ダーダネルス海峡、ボスポラス海峡を通って、やっとの思いで黒海北岸のウクライナに至り、親切で商売好きのウクライナ人から穀物を獲得した。いってみれば、二つの海峡がギリシア人の生命線だったのだ。

黒海の入り口のボスポラス海峡は、狭くうねうねと続き、航海が難しい航路で、とくに黒海からの強い海流と風が重なる海峡の入り口が航行の難所だった。そこでボスポラス海峡の入り口で、船は様子見を強いられた。ところが、ちょうどよいことに、海峡の入り口のそばに奥行き約七キロメートルの穏やかな入り江「金《きん》角湾《かくわん》」があった。絶好の風待ち場である。そこに前七世紀に建てられた港町が植民市のビザンティオン（現在のイスタンブール、ラテン語ではビザンティウム）だった。

歴史の読み方⑩

のちにビザンティオンに、荒廃したローマから、帝国の首都が移された（三三〇）。都市名は、移転を行った皇帝の名前をとって**コンスタンティノープル**と改称された。一四五三年、イスラーム勢力のオスマン帝国に占領され、都市名は**イスタンブール**と改名されて現在に至る。経済都市は生命力が強く、時代を超えて生き残っていくものだ。イスタンブールの巨大な屋根つき市場（グラン・バザール）が、それを示している。

4 海洋帝国になりそこねたアテネ

たびたび古代ギリシアを危機に陥れたペルシア帝国

バルカン半島における古代ギリシアの諸都市を危機に陥れたのが、**ペルシア戦争**（**前五〇〇〜前四四九**）だった。ペルシア帝国は超がつく軍事大国で、騎馬隊、歩兵隊、海軍が、西アジアから東地中海に配置されており、不足するのは重装歩兵だけだった。いつの時代でも、大国は身勝手なものである。前五世紀初め、ペルシア帝国は九万の大軍を動員してウクライナの騎馬遊牧民スキタイ人を制圧しようとしたが失敗。面子《メンツ》を失ったペルシア王は、エーゲ海と黒海を結ぶギリシア人の「生命線」（穀物の買い付けルート）からスキタイを再攻撃した。

ペルシア帝国の勢力がエーゲ海に及ぶことを恐れるギリシア人は、ミレトス（穀物貿易の中心都市）を中心に反ペルシア蜂起を起こす。ペルシア王は、ミレトスを滅ぼしただけでは満足せず、自らの面子を守るために反ペルシア蜂起を助けたアテネなどのギリシア諸都市をも攻撃した。そうして起こったのが、**ペルシア戦争**なのである。

歴史の読み方⑪

独裁者にとり威厳と面子を保つことが、なによりも大切である。それは、現在の独裁国家でも同様である。大衆にナメられてはいけない。支配者のパワーを信じる大衆を、熱狂させることがなんとしても必要だった。そこで重要なのが、**支配者の「面子」**とパフォーマンスである。世界史でも、支配者の「面子」問題が、しばしば大戦争を引き起こしている。

今でも、そうである。独裁者が危機に陥ると、一発逆転をねらってとんでもないことを起こすことが多いのだ。新聞報道によると、現在、世界の国々の七割が独裁政権だという。支配者の面子を保つための愚かな行動が起こらないように、国民は祈るのみなのだろうか。

前四九〇年、約六〇〇隻のペルシアの軍船（実際にはフェニキアの船と乗員）がマラトンの原野に迫った。その時にアテネが動員できた艦船は、わずかに二〇隻程度だったのではないかとされている。そのためにとても海上では戦えず、アテネはマラトンの原野でペルシア軍と決戦するしかなかった（マラトンの戦い）。この時の**アテネは、ランド・パワー**だったのである。

この戦いでは、アテネが重装歩兵の活躍でペルシア帝国軍を撃退したが、それは古代ギリシアで語りつがれる大ニュースになった。それが証拠にマラソン競技は、近代オリンピックの閉会式でメダルの授与が行われるほど、「オリンピックの華」の競技になっている。マラソン競技のもとになる、マラトンの原野から伝令がアテネまでの約四〇キロメートルの間を激走し、勝利を告げるとともに息絶えたという伝説は、残念ながらローマ時代につくられた作り話であるとされている。

話を戻すが、「面子」を失ったペルシア王は、一〇年後に最大規模の軍勢を揃えてギリシアに再度攻め寄せた。

サラミス海戦で奇跡的に勝利したアテネ軍

前四八〇年、二〇万人（だいぶオーバーだと思う）の**ペルシア軍がアテネを占領**。木造のアテネの神殿を焼き払ってしまった。アテネの最大ピンチの到来である。そこでアテネでは、老若男女が、約二キロメートル離れたほとんど岩だけのサラミス島に避難。戦える若者はすべて軍船に乗り込んで、七〇〇隻からなるペルシア海軍（四分の一はカルタゴ船）との最後の決戦（**サラミス海戦**）を戦った。普通に戦ったのでは、船が大きく、数が圧倒的に多いペルシア海軍（実質的にはフェニキア海軍）には勝てない。

艦隊指揮官に選ばれた**テミストクレス**は、ペルシア艦隊にスパイを送り込み、アテネがあたかも降伏を望んでいるかのようなフェイク情報を流す一方で、待ち伏せ作戦をとった。アテネ艦隊に動揺が広がっているという偽情報を信じ込んだペルシア艦隊は、余裕でサラミス水道に入る。

当時の海戦は、たくさんの漕ぎ手のガレー船が敵船に全速力でぶつかり、船首の「衝角《しょうかく》」で敵の船に穴を開けて沈没させるという原始的な戦争だった。油断していたペルシアの大型軍船に、待ち伏せていた四〇〇隻のアテネ船（そのうち軍船は一〇〇隻程度）が不意をついて突進。大軍勢のペルシア艦隊は、大混乱に陥った。

アテネ艦隊に幸いしたのは、ペルシア艦隊の後方から強い風が吹き始めたことだった。引き返そうとする船と水道に入ろうとする後続船が、互いに衝突して大混乱が起こった。テミストクレスの作戦が、まんまと成功したわけである。

一一時間にも及ぶ激しい戦いは、**劣勢と思われたアテネ軍の奇跡的な勝利**に終わった。ペルシア王は、このまま戦いを続けると立場を失ってしまうと考えて撤退。当時は王の意志がすべてなので、戦いはそれで終わりだった。

戦いに勝利したアテネの後日談は、矛盾に満ちている。「救国の英雄」テミストクレスはあまりにも市民の信頼を集めすぎたために、独裁者の出現を防止する**陶片追放（オストラキスモス）**にひっかかり、アテネから追放される。陶片追放とは、僭主（独裁者）になりそうな人物を市民に投票させ、一定の票を得ると一〇年間アテネから追放するという制度だった。

アテネから追放されたテミストクレスは、ギリシア各地をさ迷うが引き取るポリスがなく、最終的に旧敵ペルシア王の保護を求めざるをえなかった。ペルシア王は度量の広さを見せ、テミストクレスを保護。テミストクレスはなんと敵地のペルシアで世を去った。母親が非アテネ人だったために、テミストクレスはアテネの権力者たちから疎んじられたのだとされている。結局、名門出身のペリクレスが、おいしい果実を手にすることになる。

ペリクレスがリードした、内なる「民主政」と外なる「帝国」

サラミス海戦の後、アテネの政治をリードしたのは、大衆の人気取りに長《た》けた、有力市民**ペリクレス**だった。彼は、ペルシア軍の再度の攻撃に備えるとして、約一五〇のポリスから軍船と資金を集めて軍事同盟（**デロス同盟**）を組織。新興勢力のアテネと同盟諸都市を率いて、スパルタを中心とするギリシアの伝統世界にチャレンジした。

歴史の読み方⑫

古代ギリシアのポリスは本来はそれぞれが自立していたのだが、アテネは以下のようなかたちでほかのポリスへの統制を強め、エーゲ海の周辺でデロス同盟を中心とする帝国を形成した。アテネのシー・パワー化である。

①諸都市から艦船または税を徴収
②アテネの駐屯軍の派遣
③監督官を派遣して諸都市の役人を支配
④重要な裁判の最終審議権の掌握
⑤アテネの度量衡や貨幣を使わせる

その陰でペリクレスは、デロス同盟の基金をアテネのために流用。アテネとその港ピレウスの間に城壁をつくる大土木工事、大理石づくりのパルテノン神殿の建造、民会に集まる貧しい市民への手当の支給などでアテネの経済を好転させ、市民の支持を得た。

ローマ帝国が被征服民にも市民権を与えて開放的であったのに対し、アテネは部族的で、父母がアテネ人でなければ市民権を与えなかった。閉鎖的社会は、ムラ社会、コネ社会になりやすく、前例・慣行がじゃまをしてアテネは帝国に成長することができなかったのである。

　アテネではやがて富の偏在、激しい出世競争で、貧しい大衆は見捨てられ、公徳心は後退していった。大衆の不満が広がると、ポピュリストの政治家が大活躍することになる。そこは、昔も今も、変わりがない。

裏目に出たペリクレスの立てこもり作戦

　古代ギリシアでは、デロス同盟により二〇〇の都市《ポリス》の上に君臨する独裁的なアテネが、紛争を引き起こしていく。アテネは、対立するスパルタの同盟都市に対して、デロス同盟の港の使用を禁止するなどのいやがらせをし、都市の間の対立を強めた。政治が経済に顔を突っ込むようになると、ロクなことはない。紛争が多発し、それが**ペロポネソス戦争**（**前四三一～前四〇四**）につながっていく。

　アテネの戦争指導者となったのが、ペリクレスだった。ペリクレスは世界史の教科書では大変に評判がよく、アテネに民主政を実現した指導者として、理想化されている。運のいい人である。しかし、見方を変えれば、彼はアテネにバブルをもたらし、ポリス間の対立を強めた大衆迎合型の指導者でもあったのだ。

歴史の読み方⑬

今も昔も、**経済制裁**は、軍事行動と同等、あるいはそれ以上の政治的効果を上げる。そうしたアテネの対立勢力に対する露骨な制裁行動が、非アテネ勢力の中心のスパルタとの間の対立を強め、ペロポネソス戦争を引き起こした。

歴史家トゥキュディデスは、『戦史』の中で、**大戦初期にアテネは**カルタゴが陸上の戦争で強大だったため、陸戦を避けて農民を都市部に籠城させ、海軍力でスパルタを叩くという「肉を切らせて骨を断つ」、**シー・パワーの戦略をとった**ことを記している。

そこで農村部から、家財道具を背負った農民が次々に都市部に避難。アテネは超過密状態になり、衛生状態、食糧事情が極度に悪化した。そこに、ハプニングが起こる。籠城を始めた翌年の前四三〇年、港（ピレウス）に入った船が疫病（ペストと思われるが何であるかは特定できない）を持ち込み、市内で大流行したのだ。

トゥキュディデスは、「死体が互いにかさなり合い」「水を求めて半ば死にかけた人がのたうちまわる」と、その惨状を記している。

アテネでは、翌年にかけて市民の三分の一が死亡。指導者ペリクレス、その妻、ならびに二人の息子も相次いで犠牲になった。市民をリードしてきた老獪《ろうかい》な**ペリクレスが世を去り、「アテネ帝国」の夢は崩れ落ちていったのである。**その後、人気取りに奔走する後継者たちが景気のいいホラを吹いて無謀な遠征を繰り返し、結局はアテネを敗北に導いていった。

ペロポネソス戦争後も、古代ギリシアではポリス間の争いが繰り返され、諸ポリスは荒廃し、市民の無産化がとめどもなく進んだ。ミス・マッチは歴史の「イタズラ」ともいえるが、よく起こることでもある。

歴史の読み方⑭

ハプニングは常に起こるものだ。それにどう対応できるかで、指導層の資質が明らかになる。東日本大震災と福島原子力発電所事故からの復興を世界にアピールしようとした東京オリンピックは、新型コロナウイルスの流行で大変な困難に直面した。しかし、困難から逃げずにそれをやりきった後、「日本だからこそコロナ禍においてもオリンピックができた」と国際的な評価は高まった。東日本大震災を乗り越えてきたエネルギーは、コロナ禍のなかのオリンピック開催を通じて世界に伝わったのだろうと思う。

体制の転換と「トゥキュディデスの罠」

ハーバード大学の国際政治学者グレアム・アリソンは、歴史家トゥキュディデスの「戦争を避けがたくした原因は、アテネの勃興及びそれがスパルタに引き起こした恐怖心であった」という記述をもとに、「**トゥキュディデスの罠**」という政治用語を生み出した。

アリソンは、**既存の大国と新興勢力が対立する時代には、恐怖心が威嚇、競争、衝突を呼び起こす**、と説いた。第一次世界大戦前に、大海軍建設計画を立ててイギリスの覇権にチャレンジしたドイツと、イギリスのそれに対抗する軍事、外交での過剰対応が第一次世界大戦につながったことは有名だが、アリソンは、**過去五〇〇年の間に一六回の覇権の交代が起こり、そのうち一二回が戦争になった**ことを指摘している。

現在は中国とアメリカの関係が悪化している（米中新冷戦）が、二〇一五年に訪米した自信満々の中国の指導者、習近平は、「トゥキュディデスの罠」という言葉を用いてアメリカを牽制《けんせい》している。

5 軍事先進国マケドニアが起こした世界の変動

運命の女神のイタズラで英雄になったアレクサンドロス

前四世紀は、古代ギリシアで軍事革命が進んだ時代だった。遊牧風の騎馬軍団が導入され、歩兵部隊の多様化、総合化が進んだ。そうした軍事革命を積極的に導入したのが、ギリシアの北の辺境の王で、黒海北岸のスキタイ人の騎馬技術を取り入れた古代マケドニア王国だった。

前四世紀中頃に即位した**フィリッポス二世**は、新しい金山を開発して財政を豊かにすると、遊牧民の騎馬技術の導入とウマの購入に努めた。彼は、騎馬隊、長槍で装備した重装歩兵部隊を組み合わせた新型軍隊をつくりあげ、アテネなどのギリシア諸都市を征服し、ギリシア世界での覇権を確立した。つまり、騎馬による軍事革命を取り入れて、ペルシア帝国の二輪戦車をしのぐ軍事力を持つようになったのである。

フィリッポス二世は余勢を駆って、「ペルシア戦争の報復」を口実にペルシア帝国への遠征を目指したが、娘の結婚式で護衛兵に暗殺されてしまう。同性愛のもつれが原因だったといわれている。そうした出来事が、弱冠二〇歳の青年アレクサンドロス三世を遠征指導者に押し上げた。彼はペルシア帝国を倒し、不滅の英雄としての名声を獲得する。

歴史の読み方⑮

世界史は、いろいろな条件の組み合わせにより変化する。一つひとつの出来事はそれなりの必然性を持っているのだが、それらが結び付く順序、結び付き方などは偶然が支配する。それが、将来が予測できない大きな理由の一つになっている。運命の女神の気まぐれとしかいいようのない偶然が、世界では次々に起こってくるのである。

アレクサンドロス軍に徹底的に破壊されたフェニキアの諸都市

アレクサンドロス三世（大王）の東方遠征軍の勝因は、先に述べたように、二輪戦車によるペルシア帝国の古い軍隊より、騎馬隊と長い槍を持つ歩兵の密集軍団の組み合わせからなるマケドニア、ギリシア連合軍のほうが優れていたということが、単純でわかりやすい要因だった。

アレクサンドロスは、イッソスの戦い（前三三三）、**ガウガメラの戦い**（前三三一）**でペルシア軍を撃破していく**。長期のペルシア帝国の支配により、諸民族に嫌気が差していたことも大きかった。アレクサンドロス軍はその後、首都ペルセポリスの大宮殿を焼き払い、**ペルシア帝国を滅ぼしてしまう**。

アレクサンドロスは遠征の際に、**フェニキア人からギリシア人への商業覇権の**

移行を進めた。ペルシア帝国と同盟するフェニキアのシドンとティルスの破壊である。**ティルス**は、前一〇〇〇年頃に陸地から約一キロメートル離れた沖合の小島に建設された難攻不落の都市だったが、アレクサンドロスは七カ月の突貫工事で島に渡る堰堤《えんてい》をつくってティルスを陥落させてしまう。激戦により、フェニキア人の拠点ティルスの戦死者は八〇〇〇人に及び、陥落後さらに二〇〇〇人が殺害された。また、生き残った住民三万人はすべて奴隷とされている。

廃墟と化したティルスの市域には、雑草が生えることも許さないという強い意志を示すために、塩がまかれた。その結果、フェニキア人は、アフリカ北岸の植民市カルタゴに活動の拠点を移すしかなくなる。商売敵をエゲツなく徹底的に破壊するというやり口は、のちにポエニ戦争でローマがカルタゴを滅ぼした際にも繰り返された。

歴史の読み方⑯

アレクサンドロス三世にとり、①フェニキア人から東地中海交易の主導権を奪い取ること、②エジプトの穀倉地帯（最大の「生産地域」）を支配することが、覇権確立のための必須条件だった。

現在まで生き残るアレクサンドリア

前三三一年、アレクサンドロスは、ナイル川三角州の西端に、新しい経済拠点として**アレクサンドリア**を建設。ペルシア帝国とフェニキア商人が支配してきたエジプトの穀物を、ギリシア人が支配することになった。

豊富な穀物が流入するアレクサンドリアが発展するのは当たり前で、やがては人口一〇〇万人を超え、「**ないものは雪だけ**」という、何でも手に入る古代の大商業都市に成長した。地中海の勢力地図が、一挙に変わったのである。アレクサンドロスに仕えた武将プトレマイオスが創建したプトレマイオス朝（前三〇四〜前三〇）は、アレクサンドリアを都にして、エジプト農業と東地中海の交易によって繁栄する。

アレクサンドリアは、東西約八・四キロメートル、南北約一・二キロメートルの計画都市で、幅約三〇メートルの東西に延びる「大通り」を中心に整然と道路が直角に交差する。王宮地区のブルケイオンには、王宮、種々の神殿、ムセイオン〈研究所、ミュージアム〈博物館〉の語源〉、七〇万巻もの蔵書を備えたとされる図書館などが建てられ、中央通り沿いには多くの商店が軒を連ねていた。

海を公共財とする考え方は東地中海で出現した

ローマ帝国が勃興する以前に、東地中海のロードス商人が交易を盛んにするために考え出したルールが、地中海商人の共同ルールになった。現場にいる人が、もっともよいルールをつくりだす。まさに**「餅は餅屋」である。ロードス商人は、海を「公共財〈公海〉」と見なし、商船の自由航行、自由貿易を行き渡らせた。ローマ法も、海は「万民の共有物」という考え方を取り入れている。**

歴史の読み方⑰

「公海」の理念のルーツは、ロードス島にあった。「公海」という考え方は、一七世紀にオランダにより引き継がれ、軍事力が弱い海運国、商業国の武器になった。のちにオランダは、ランド・パワーの強国スペインが、シー・パワーのポルトガルを引き入れて大西洋を二分することに猛烈に反対。そのよりどころとして、ローマ法の「海は公共財」という考え方を復活させた。

海が諸国の交易空間になっていく一七、一八世紀に、海は万国の「共有財」「公共財」と見なされ、一九世紀には、シー・パワーのオランダ、イギリスなどにより、各国の領海を制限して、「公海」を広げることが国際ルールになった。それにより、海運が世界経済の礎《いしずえ》になれたのである。

ロードス島の入り口には、自由な国際交易港のシンボルとして、**太陽神ヘリオスの青銅の巨大な像**（台座部が一五メートル、像の高さが三四メートル）がつくられていた。現在のニューヨークにある「自由の女神」像のような繁栄のシンボルである。

太陽神ヘリオスは、毎日、**太陽の戦車**を駆使《くし》して大地の果ての外洋《オケアノス》に向かい、夜に内海を航海して太陽が昇る東に戻ってくると考えられていた。

ロードス島の巨大なヘリオス像は、港の入り口をまたぐようにつくられていたため、港に出入りする数多《あまた》の船は巨大なモニュメントを潜《くぐ》って入港した。東京港のレインボーブリッジのようなものだが、その建設には商人の誇りが秘められていた。

前四世紀末、マケドニア王がロードス島の富を支配しようとして、巨大な攻城機を使って島に攻め込む。ロードス島の人々は、力を合わせてマケドニア軍の侵略を防ぎ、戦いに勝利。その記念として、一二年もの歳月をかけて、自由を象徴する巨大な青銅のモニュメントを鋳造したという。

しかし、建設から六十数年後の大地震で、青銅像は両足の部分を残して無残にも崩れ落ちてしまった。あまりにも大きかったためにヘリオス像は再建も破壊も不能で、約八〇〇年もの間、崩れたまま放置されたといわれる。

6 ローマ帝国の覇権

ポエニ戦争に勝利したランド・パワーのローマ

古代の地中海世界で最大の戦争とされるのが、**ポエニ戦争**である。どうして、ランド・パワーのローマとシー・パワーのカルタゴが、長期にわたり大戦争を繰り返したのだろうか。それは、第二のシー・パワーのギリシア人がローマと同盟関係にあったこと、カルタゴが支配する東西の地中海を結ぶチョーク・ポイントが、地中海の戦略的支配にとって重要だったからである。都市国家ローマは、イタリア半島中央部の素朴な農業国家から出発した軍事国家であり、前二七二年にランド・パワーによりイタリア半島を統一していた。

フェニキア人と海の覇権を争ってきた古代ギリシア人は、南イタリアの植民市群（マグナ・グラエキア、大ギリシア植民市）がローマの支配下に入ると、穀倉地帯シチリア島でのカルタゴとの戦い（ポエニ戦争）にローマを引きずり込む。

もともとローマはランド・パワーだったが、ポエニ戦争の間に五〇〇隻以上の巨大な軍船と一〇万人以上の海上兵力を擁する海軍をつくりあげ、シー・パワーを併せ持つ大国に成長する。

海軍を持たなかったローマ人は戦争中にギリシア人の助けを借り、奴隷を漕ぎ手とする軍船（二段櫂船《かいせん》）の艦隊をつくりあげた。ギリシアの軍船とローマの軍船の大きな違いは、ローマの軍船が船首に「コルプス」と呼ばれる先端に鋭い鉤《かぎ》のある船橋をつけたことだ。普段、コルプスは吊り上げられ、敵船とぶつかる際に降ろされて敵船と離れないように固定され、それが橋となって船上の白兵戦が可能になった。ローマは船の上で、陸の戦いを行ったのである。

歴史の読み方⑱

古代の地中海での最大の戦いのポエニ戦争は、東・西の地中海を結び付ける最大のチョーク・ポイントをめぐる戦争だったが、ローマにはチョーク・ポイントの意味がよくわからなかったようだ。そのためもあり、カルタゴは一時、完全な廃墟にされた。カルタゴ・ノヴァとしてカルタゴが再建されるのは、一〇〇年以上も後のことである。再建されたカルタゴ・ノヴァは、急速にローマと肩を並べる大都市に成長する。

ローマが**ランド・パワー**だったことは、**陸上に大規模な道路網**を設置して一定間隔で宿駅を設け、ヨーロッパ世界の基盤をつくったことからも理解できる。

大量の食糧を海から確保

ローマ帝国は、古代ギリシアの都市などとの間と個別の条約を結び、保有できる軍艦の数、守備範囲などを細かく規定することにより海の秩序を維持したが、自身の強大な海軍力で秩序を維持したわけではなかった。もともとシー・パワーではないローマ帝国にとっては、帝国が管理する際に口実として利用できる「公海」の概念が便利だったのである。

前六七年に、ローマはポンペイウスに五〇〇隻の軍艦、一二万人の兵を与えて徹底的な海賊討伐を行い、安全な食糧輸送路の確保を実現した。初代皇帝になった**アウグストゥス**（在位前二七―一四）は、**食糧長官を常置**し、膨大な穀物の海上輸送と市民への配布を義務づけた。穀物輸入をシステム化しないと、ローマ市民の食糧が維持できなかったからである。

クラウディウス帝は、ローマに通じるテベレ川の河口に、ローマに食糧を運ぶ巨大な食糧船が着岸できる広大なオスティア港をつくった。それでも足りなくなると、トラヤヌス帝は、その奥に掘り込み式の正六角形の港を拡張し、巨大な食糧倉庫群をつくらせた。

二世紀には、帝都ローマでは一五万〜一七万五〇〇〇の所帯、一家族三〜五人として四〇万〜七〇万人が穀物を国家から無料給付されていた。つまり、ローマ市民の三分の一ないしは二分の一が働かず、帝国に養われていたことになる。市民が口にする食糧の四カ月分は、エジプトからもたらされた。

ローマ帝国の最盛期は、帝政が始まってから五賢帝時代が終わるまでの約二〇〇年間で、「パクス・ロマーナ（ローマの平和）」の時代とされる。地中海周辺にローマ人が建設した都市と植民した都市の数は、約五六〇〇に達した。しかし、ランド・パワーのローマ帝国には、地中海ネットワークをコントロールし、広大な海の世界を統一的に管理する能力はなかった。各地に派遣された軍団が、武力で食糧の確保に当たったのである。ローマ帝国の分裂は必然性を持っていたのである。

7 三世紀の危機で自滅したローマ帝国

崩れた「パクス・ロマーナ」とカラカラ帝の改革

ローマ帝国が繁栄の絶頂にあった五賢帝の最後の皇帝マルクス・アウレリウス・アントニヌスは、北からの諸民族の侵入に対抗するマルコマンニ戦争をドナウ川周辺で行うかたわら、義弟のルキウス・ウェルスに軍を与え、商業地アルメニアの支配をめぐって対立していたパルティアへの遠征を行わせた。

遠征軍は、一六四年に主要都市クテシフォンを征服する。しかし、帰国したローマ軍がパルティアから持ち帰った疫病（発疹チフス、天然痘などといわれるが不明）が、一六四年から一八〇年まで一五年間、イタリア半島で猛威を振るうことになる（皇帝の名前をとって「アントニヌスの疫病」と呼ばれる）。

パルティアから運んできた疫病の大流行で、遠征軍は全滅。イタリア半島だけでも人口の約一〇パーセント、六〇〇万人が命を落とし、帝都ローマの人口も激減した。「哲人皇帝」といわれたマルクス・アウレリウス・アントニヌスは、死者の埋葬、秩序の維持に努めたが、一八〇年に自らも罹病し、「疫病とそれで死んで行った人たちのことを忘れないでください」という言葉を残して世を去った。

ローマとイタリア半島が疫病の巣窟になると、多くのローマ市民は疫病から逃れようとローマ、イタリア半島を離れ、地中海の周辺各地に移住した。そうしたローマ帝国の変化に対応するために、**二一二年、カラカラ帝は、ローマ以外の属州の自由民にも市民権を与える措置に踏み切る**。ローマから市民が属州に移住したことへの対応措置だった。

見方を変えると、ローマが地中海を中心とする**シー・パワーに転換できるチャンス**が訪れたのである。しかし、ランド・パワーの伝統は簡単には変えられなかった。どこの社会でも、利害が絡む構造改革は至難の業である。カラカラ帝の措置は、逆に帝国に分裂をもたらしていくことになる。

「三世紀の危機」と軍閥の混戦

市民権が属州の自由民に与えられると、属州軍の力が強まり、約五〇年間(二三五〜二八五)に二六人の皇帝が属州から名乗りを上げ、戦争により皇帝が次々に入れ替わる**軍人皇帝時代**へと移った。

長期の内戦で、ローマ帝国は荒廃していく。「**三世紀の危機**」といわれる帝国の危機である。ローマ帝国には属州を再編する有能な皇帝が現れず、シー・パワーに転換する道は見出《みいだ》されなかったのである。

そうしたなかで、二五一年から二七〇年にかけて、伝染力の強い疫病が、今度はエチオピアから帝国の各地に広がった。政府はなす術《すべ》がなく、キリスト教団のカルタゴ司祭キプリアヌスの祈禱による大衆の救済が目立った。キプリアヌスは迫害により命を落としたが、この疫病流行の際の活躍で、大衆宗教としてのキリスト教の名声が高まっていく。

キリスト教団が、反皇帝運動の「核」になることを恐れたディオクレティアヌス帝は、キリスト教団を大弾圧したことで知られている。一転して、次のコンスタンティヌス帝はキリスト教を公認（三一三）、支配体制の一翼に組み込んだ。ちなみに、軍人皇帝時代の疫病は、「**キプリアヌスの疫病**」と呼ばれている。

軍人皇帝の激しい権力闘争に勝利したディオクレティアヌス帝は、帝国の危機的状態を乗り切るため、勃興期のササン朝（二二四〜六五一）の専制支配と官僚制を導入。強力な独裁制によりランド・パワーを強化。次のコンスタンティヌス帝は、キリスト教により皇帝の権威を強めた。**ローマでは、三九五年の帝国の東・**

西分裂まで、皇帝独裁の強化が続くことになる。

三七六年、弱体化した帝国の西部にゲルマン人が侵入。帝国は支配力を失った。その後、東方のコンスタンティノープルを中心に、ローマ帝国はギリシア的な商業帝国として、約一〇〇〇年間存続することになる。

第三章

海洋的インドと大陸的中国

インド洋のなかのインドと遊牧民との激しい戦いを続けた中国の歴史性の違い

1 季節風のなかのインド

広域の航海を可能にしたモンスーン

世界を代表する人口大国で、将来においてはGDPでアメリカを超えるであろうとされる中国とインドは、現在、インド洋で覇権をめぐって対立している。

一言でいえば、インドはインド洋に面した海の国で、中東との石油ルート、東アフリカ、東南アジアと海でつながる地政学上の優位を占めており、軍事的には核兵器保有国、武器輸出の世界第二位の国、いわずと知れたIT大国である。

それに対して中国は、ユーラシアの内陸部の大国で、多くの国々と国境を接している。大国としてユーラシアの歴史をリードしてきたが、近年、グローバル経済を巧みに利用し、安い労働力と「大きな国内市場」を利用して、GDP世界第二位の経済大国に躍進した。しかし、古い歴史が災いして、農民は世界の農民の約半分の農地しか持てず、八億の農民はいまだにきわめて貧しい状況にある。どう見ても、課題が山積するランド・パワーの国である。両国が、解決すべき課題をたくさん抱えた大国であることは否めない。

歴史の読み方⑲

中国の「一帯一路」政策と連動する「真珠の首飾り戦略」は、海南島を起点とし、ミャンマーのシットウェ、バングラデシュのチッタゴン、スリランカのハンバントタ、パキスタンのグワーダル、オマーンのドゥクム、カタールのハマド、ギリシアのピレウスなどに「拠点」を設ける戦略だが、全体としての体系性は弱い。

それに対抗するかたちでつくられた、インドを中心とするASEAN（東南アジア諸国連合）諸国、東アフリカ諸国が連携するインド洋周辺の安全保障のための海洋戦略が、「ダイヤのネックレス戦略」である。海の歴史に根ざした「ネットワーク」が土台になっている。

インド洋の諸海域で三〇〇〇年前に拓かれたのが、ガンジス川が流れ込むベンガル湾である。ベンガル湾に面したインド半島東岸は、過剰に雨が降る雨季と全く雨が降らない乾季が循環する厳しい気候であり、ベンガル湾は、夏と冬で定期的に風向きが変わる「**モンスーン**（**季節風**）**の海**」だった。

雨季の雨が米を育てるために、ベンガル湾と隣接する南シナ海には、物産に恵まれた大河が幾本も流れ込んだ。川を使う水運が盛んで、河口、分岐点の都市、集落が集まって一つの大経済圏となり、それが連結して大商業圏ができあがった。

2 「海・陸」複合の東南アジア

国際交易が栄えた「アジアの多島海」

東南アジア海域は、セイロン島（スリランカ）が西端で、アンダマン海、クラ地峡を経て、タイランド湾から南シナ海につながっている。南シナ海は、カリマンタン島を中心にして多くの島々が集まり、「**アジアの多島海**」とも呼ばれる「交易の海」だった。

南シナ海とベンガル湾（東西約一六〇〇キロメートル、南北約二〇〇〇キロメートル）、アンダマン海を結ぶ広大な海域は、インド商人などにより拓かれた。この海域でも、夏の東南方向から吹く季節風と、冬の西北から吹く季節風が定期的に交替するのを利用する長距離航海が行われた。

インド洋という海洋名からもわかるように、インドは海洋世界だった。インド洋は、夏と冬で定期的に風向きが変わる「モンスーン」の海で、そのまま交易の海になった。モンスーンは、「年中行事」を意味するアラビア語の「マウシム」に由来する。

インド洋には、南シナ海とつながるマラッカ海峡、ペルシア湾とつながるホルムズ海峡、紅海とつながるバブ・エル・マンデブ海峡の三つのチョーク・ポイントがある。物産が豊かで海上交通の中心の東南アジアへは、イスラーム、インド、中国、ヨーロッパの諸勢力が進出し、現在は、シー・パワーのアメリカとランド・パワーの中国の勢力争いが激化している。冷戦終結後に地域経済圏づくりの中心となったASEANは、それぞれの陣営に分裂してしまい、力を弱めている。
ちなみに、東南アジアでインドのサンスクリット語が占める位置は、東アジアの漢語に似たものがあり、四割以上の言語のもとになっている。たとえば、ジャワ（「大麦、穀物」の意味）、スマトラ（「海」の意味）、ジャカルタ（「勝利の砦」の意味）、ミャンマー（「強い人」の意味）などは、古代インドのサンスクリット語である。

歴史の読み方⑳
東南アジアは複雑な歴史をたどったが、ザックリ見ると、雲南からインドシナ半島に南下してきたカンボジア、ヴェトナム、タイなどのランド・パワーの民族と、マレー系のインドネシア、フィリピンなどのシー・パワーの民族の抗争の歴史が展開された。

ベンガル湾とタイランド湾の「中継拠点」クラ地峡

古代のインド商人の交易にとり、最大の障害になったのが、意外なことに現在のチョーク・ポイントのマラッカ海峡だった。

アジアの海のチョーク・ポイントは、約八〇〇キロメートルにも及ぶマレー半島とスマトラ島の間の**マラッカ海峡**だが、シンガポール海峡に至る約四〇〇キロメートルの部分で海路が狭まっていて、浅瀬が続くことが航海を困難にした。潮の満ち引きが生み出す潮流が船の航行を妨げ、マレー半島中央部の山から突然襲うスコールも突風を伴うことが多かった。

また、マラッカ海峡でモンスーンの風向きが変わるため、帆船は長い間、海峡で風待ちをしなければならず、狭い水路に巣食う海賊たちが商人の積み荷を虎視《こし》眈々《たんたん》とねらっていた。付近の漁民たちにとっても海峡は宝の船の通路であり、海賊が重要な副業になっていた。

莫大な財産を運ぶ商人にとって、安全が第一である。そこで、**マレー半島の最狭部のクラ地峡**（**最狭部は四四キロメートル**）**が、ベンガル湾と南シナ海の中継地として利用されることになった。地峡地帯で商品を一時陸揚げし、タイランド湾に運んだのである。**現在、このクラ地峡に運河を通す構想がある。もし実現されれば、インド洋と東アジアを結ぶ航路は、マラッカ海峡経由より約一二〇〇キロメートルも短縮される。クラ地峡経由のルートにより、インド商人はカンボジアとヴェトナム南部と結び付いた。

カンボジアやヴェトナム南部にインド商人が多く移住したのは、その地域がベンガル湾、クラ地峡、タイランド湾を結ぶ線上に位置していたからである。二世紀に南部ヴェトナムに建設されたチャム人のチャンパー（林邑）には、多くのインド商人が移住し、南インドのブラーフミー文字や仏教などが伝えられた。

巨大な調整湖により栄えたカンボジア

中国の史書（『梁書《りようしよ》』諸夷伝扶南国《ふなんこく》の条）は、扶南（プノム、現在のカンボジア）が范《はん》蔓《まん》という王の時に大船を建造し、周辺の一〇余国を征服した、と記している。康泰《こうたい》という人が書いた『呉時外国伝』（『太平御覧』巻七六九、舟部二）によると、プノムの大船は長さ一二尋《ひろ》、広さ六尺、一〇〇人乗りで、五〇人ずつが列になって長い櫂、短い櫂、竿を使って声を一つに合わせて漕いだという。

今でもチベット高原から流れてくるカンボジアのメコン川、タイのチャオプラヤ（メナム）川は経済の大動脈だが、古代でも川が交通路になった。モンスーン地帯の東南アジアには雨季と乾季が交互に訪れ、雨が降らない乾季の農業には「ため池」が必要で、とても大変だった。

しかし、**カンボジアにはトンレサップ湖**（日本最大の湖、琵琶湖の四倍。雨季には湖面が六倍に増加）**という大きな湖があり、「ため池」の役割を果たしたために農業が発達し、大農業国（プノム）がつくられたのである。**

北西部のアンコール地方のアンコール・トムを首都とするアンコール朝（一一一三～一四三二）は、ランド・パワーを誇った。一二世紀に建てられた仏教寺院の**アンコール・ワット**（最初はヒンドゥ教寺院）は、東南アジアが世界に誇る素晴らしい大建造物である。

インド商人の活動と移住によりインド洋とベンガル湾が一つに結び付き、プノムが東南アジアの入り口の拠点になった。インド半島の東岸に赴いて交易を行っていたローマ商人も、インド商人のルートに乗って東南アジアに赴き、交易を行っている。

一九四四年、フランス調査隊により発掘されたプノムの首都の外港オケオの遺跡からは、ローマのアントニヌス・ピウス帝の時代の金貨やガンダーラ様式のインドの仏像、後漢の鏡などが出土している。オケオは、インド、東南アジア各地、中国、ペルシア、ローマの船が立ち寄る国際港だったのである。

アジア最大のチョーク・ポイント、マラッカ海峡

スマトラ島とマレー半島の間に長々と続くチョーク・ポイントのマラッカ海峡は、ベンガル湾と南シナ海を結ぶ東西交易の要衝だった。地図上で確認するとわかるがマラッカ海峡はラッパ状をしており、西のベンガル湾の側が広がり、東の南シナ海側がすぼまっている。そこで、マラッカ海峡を支配するには、南シナ海側のスマトラ島東部に「拠点」を設けると都合がよかった。

マラッカ海峡の周辺につくられたマレー人の諸都市は、七世紀になるとスマトラ島のパレンバン（「川に流れ集まる所」の意味）を中心に連合し、**シュリーヴィジャヤ国**を建てた。シュリーヴィジャヤは、マラッカ海峡を通過する商人たちから税をとっていたが、やがて対岸のマレー半島にも勢力を伸ばして、マラッカを中心に海峡全体を抑えた。南シナ海、ベンガル湾、インド洋、ジャワ海を結ぶアジア

の東西貿易を支配したのである。

シンガポールは、一九世紀に自由貿易港としてイギリスが発展させた港で、スマトラ島に沿って長々と続く海峡の中心になった。明の鄭和《ていわ》艦隊も、マラッカをインド洋への前進基地として利用している。

八世紀になると、**シャイレーンドラ朝**（**八世紀半ば〜九世紀前半**）がジャワ島北部に進出し、モルッカ諸島（マルクの英語化、王の複数形ムルクに由来）のほうまで交易路を伸ばした。シャイレーンドラ朝の繁栄については、ジャワ島中部に建造された大乗仏教の石づくりの大ストゥーパ（石塔）、**ボロブドゥール遺跡**により知ることができる。

歴史の読み方㉑

現在のマラッカ海峡は、中東の石油を東アジアに運ぶルートのチョーク・ポイントで、第二次世界大戦後はアメリカ軍のコントロール下にある。

経済大国となった中国は、過度に貿易に依存する国で、輸入する石油の八割、メイド・イン・チャイナ製品の約三分の一がマラッカ海峡を通過する。そのため、中国は「マラッカ海峡をコントロールする国は、中国のエネルギー供給源の喉元をおさえているのと同じ」として、**マラッカ・ジレンマ**を感じている。

そこで中国は、石油を安定的に確保するためにインド洋沿岸のパキスタン、ミャンマーなどに「拠点」港を確保し、石油を内陸部に送るバイパスをつくるという、いかにも「陸の国」らしい海洋アプローチをせざるをえなくなっている。

3 遊牧民と農業民の苛烈な激戦地、黄河流域

古代中華世界の海は山東半島の北の渤海だった

中国の歴史は、黄河中流の「中原」から始まった。南の沿海地域や長江流域は長い間、「蛮夷の地」として扱われ、魏・晋・南北朝の後の隋・唐帝国の時代に中国に組み込まれた。**南の福建、広東が中国に組み込まれるのは、唐代末期**である。

標準語である北京語と、上海語、福建語、広東語の発音が違っているのは、そのためである。長い間、中国の歴史は、実質的に華北の歴史だったのである。

水よりも黄土《こうど》のほうが多いといわれる黄河は、流れが緩やかになる下流の沖積平野で大量の泥を堆積させて「天井川《てんじょうがわ》」となり、二年から三年に一度、大洪水を起こした。そのために流域から海に出るのが困難で、中国文明は陸に封じ込められた「内陸文明」となった。せいぜい、山東半島と遼東半島を結ぶ廟島《びょうとう》群島で黄海と隔てられる狭い渤海が、古代中国人が知っている海だったのである。古代中国の中心となる港は、山東半島北岸の**渤海に面した登州《としゅう》**（山東省煙台《えんだい》市と威海《いかい》市にまたがる地域に設置された）だった。

五八九年に遊牧民と農業民が混じり合った黄河中流域と農業民の長江流域を一つにした隋は、**大運河**を建設。内陸の大水路により、「南船北馬」の北と南の異質な世界を一体化した。海が使えないのを、大土木工事で補ったのである。

歴史の読み方㉒

黄河が黄土の堆積により下流で大洪水を繰り返したことから、黄河文明は海から切り離された**典型的な内陸文明**になった。中央アジアには東西八〇〇〇キロメートルに及ぶ大草原があるが、モンゴル高原と黄河中流域が、大草原の遊牧民と中国の農業民の食糧争いの最前線だったのである。

そのために、万里の長城がつくられたし、現在に至るまで長期にわたる激しい争いが繰り返され、食糧の争奪戦にあけくれた。南の海洋世界と接する越人の居住地域は、**夷狄《いてき》の地**と見なされた。

二〇〇〇年以上、中国が「陸の帝国《ランド・パワー》」であり続けたことは、中国の「陸の国境線」の長さを世界地図で確認すれば一目瞭然《いちもくりょうぜん》である。中国の海岸線は、日本列島よりも短いのである。

遊牧民との混血でハイブリッド化した中華世界

ここで、地政学的な話をしておこう。ザックリいうと、草原の遊牧民は乾燥のために穀物がつくれず、それを農業社会に依存する。前六世紀に、ウクライナのスキタイ人により開発された騎馬技術と馬上で射ることができる短弓が普及すると、大農業地帯の黄河流域とモンゴル草原が、遊牧民と農業民の戦いの最前線になった。しかも、モンゴル高原と黄河流域の間には障害物がない。土地がなだらかに傾斜しているだけである。

そこで、安全保障のために、莫大な費用と人力をかけて「万里の長城」が築かれることになる。ところが、穀物をどうしても手に入れたい遊牧民は、それまでの何倍、何十倍の部族を組織して農業地帯に攻め込んだのである。

漢の武帝は、そうした状態を打破するために匈奴《きょうど》との全面戦争に突入。中華帝国の領域の拡大を目指すが失敗。農民へ過大な負担をかけて長期の混乱が続き、漢は滅亡。地方豪族が対立する三国時代に入る。

遊牧民と農業社会の接点が拡大すると、遊牧民の騎兵が傭兵として使われるようになる。三国時代を終わらせた西晋で起こった内戦で利用され、多くの遊牧民(五胡)が黄河中流域で建国する。五胡十六国時代《ごこじゅうろっこく》(三〇四~四三九)という大混乱時代となり、中国社会の遊牧化、軍事化が進行した。

混乱の時代を終わらせたのが、モンゴル系鮮卑人の北魏である。北魏は都を中国社会の中央部の洛陽《らくよう》に移し、言語、風俗を漢人と同じに変えて、漢人の豪族と積極的な混血策をとって同化を進めた。**同化の流れを引き継いでいるので、隋・唐帝国は、モンゴル高原の遊牧民と漢人の混合社会ということになる。**その後も、**宋、明を除き遊牧系の王朝が続き、中華帝国は内陸的であり続けた**のである。

歴史の読み方㉓

遊牧民の波状的な進出に悩まされた農業民の中華社会は、次の四つの方法で軍事的な遊牧民に対応した。しかし、結局は「同化」に傾き、好戦的な遊牧社会に取り込まれていった。

①防御……秦・明——万里の長城の築造。逆に遊牧民が攻勢を強めた
②攻撃……前漢——国力の消耗で失敗
③買収……遼・金——貢ぎ物で平和を買う
④同化……北魏・隋・唐・清——いわゆる遊牧民の「漢化」

第四章

遊牧帝国と共存したインド洋の商人世界

二つのペストのパンデミックの間に興隆した巨大な遊牧帝国とインド洋交易

1 アッバース朝で活性化した西アジアのリム・ランド

陸と海の性格を併せ持つアッバース朝

七世紀から一四世紀の間は、アラブ遊牧民のイスラーム帝国、モンゴル遊牧民のモンゴル帝国というような巨大な遊牧帝国が相次いで出現した。ところが、遊牧帝国は農業民の支配が中心で、遊牧帝国の拡大と連動するインド洋や南シナ海の商人の大規模交易には無関心で、直接支配しようとはしなかった。その結果、遊牧帝国と海の大規模な商人の世界が共存できたのである。

遊牧民が貧しい生活から抜け出すには、①農業社会から税として穀物を収奪する方法、②商人の地理的知識などを活用し、商業を保護して税をとる方法があった。遊牧帝国と商人は、持ちつ持たれつの関係だったのである。

海から遊牧帝国の時代を見るならば、遊牧帝国の後ろ盾により、商人たちが海でもネットワークを広げ、陸・海の広域商業が活性化された時代だったといえる。**アッバース朝、モンゴル帝国などの大遊牧帝国と、インド洋、南シナ海の商人の大商業圏は共存・共栄の関係にあった**のである。当時、アジアの海で交易にあたったダウ船、ジャンク船は、軽量で大砲を積載することは難しく、軍事力で海を制する時代とはならなかった。

ランド・パワーの遊牧民は、ユーラシアの内陸部（**ハート・ランド**、心臓部）の大草原から農業社会への侵略を繰り返した。機動力を持つ遊牧騎馬軍団が圧倒的に有利な時代だったのである。しかし、遊牧民は、農業社会と内陸の商業が最大の関心事で、海洋民の支配にまでは思いが及ばなかった。

ハート・ランドとシー・パワー（日本、東南アジア島嶼部、地中海、北欧など）の間の**リム・ランド**（ユーラシアの沿海部）には豊かな農業社会が広がっており、たびたび、**ランド・パワー**の侵略を受けた。

歴史の読み方㉔

インド洋、南シナ海の主な港（港市）には、内陸の大国は関心を示さなかった。

港の支配者は、商船が入港してくれないことには税収が入らないので、商人たちとの協調を図り、各海域からやってきた商人の代表の合議で港市の運営がなされた。遊牧民の大帝国はランド・パワーによる軍事征服で築かれたが、海の世界では商人たちが主導権を握っていたのである。シー・パワーは弱体だったといえる。

「ユスティニアヌスの疫病」が可能にしたアラブの大征服運動

約八〇〇年続く遊牧民による巨大帝国の時代の口火を切ったのが、アラブ人がイスラーム教団の指導の下に、ビザンツ帝国、ササン朝に対して仕掛けた**大征服運動**だった。**アラブ人は、ビザンツ帝国からエジプト、シリア、地中海の南半分を奪い、ササン朝を滅ぼしてイスラーム帝国を成立させた。**

こうした世界秩序の大変動は、体制を揺るがせるような大きな出来事がなければ、簡単には起こらない。**引き金になったのは、ムハンマドによるイスラーム教の創始と、突然のペスト大流行だった。**それが重なったのは、全くの偶然である。

ペストの流行については、フランスのノーベル文学賞受賞作家カミュが、小説

『ペスト』で言及している。五四三年、ビザンツ帝国の首都**コンスタンティノープル**（現在のイスタンブール）で突発的に起こった**大流行**だが、時の皇帝の名前をとって「**ユスティニアヌスの疫病**」と呼ばれている。

ペストは一年間で、コンスタンティノープルの人口の四割程度を死に至らしめた。大流行は三年で収束したが、ペストはその後も五〜一〇年周期で約六〇年間続いたという。ペストはササン朝にも伝わり、同朝も衰退させた。

実は、ペストが流行した時期はビザンツ帝国の絶頂期で、ローマ帝国の地中海再支配が実現しそうな勢いにあった。「天国から奈落へ」は、世界史では、いつでもどこにでも起こりうる。政治家には、船長のような洞察力と機転と勇気が求められる。

ビザンツ帝国のユスティニアヌス一世（在位五二七—五六五）は、即位の一〇年後に北アフリカのヴァンダル王国を倒し、その二年後には帝都コンスタンティノープルに聖ソフィア大聖堂（現在のアヤ・ソフィア）を建設。イタリア半島も東ゴートから取り戻せそうな状態にあった。

そこに突然のペストの大流行である。雲南、チベット高原南麓の風土病のペストが、何らかの経路をたどって胡椒の集散地のインド西岸に達し、エジプトに向かう貿易船に乗ったクマネズミがペスト菌を持つノミを運んだのであろう、と『華麗なる交易』の著者ウィリアム・バーンスタインは推測している。ペストは船底に潜んだクマネズミにより、五四一年にエジプトの商業港ペルジウム、トルコ半島の商都アンティオキアで流行。そして五四三年、コンスタンティノープルでの大流行である。

しかし、砂漠が広がり、大都市がないアラビア半島は、ペストの流行の影響をほとんど受けなかった。ペストは、「交易病」「都市の疫病」なのである。ペストの流行が及ばなかった砂漠のアラビア半島の西岸で、ムハンマド（五七〇頃〜六三二）が起こしたイスラーム教団は、二〇〇人程度のローカル教団だったが、多くの遊牧部族に影響を及ぼすことになる。

六三二年、ムハンマドが急死すると、教団は遊牧民の離反を防ぐために起こしたアラビア半島からの大征服運動に成功し、**強力なランド・パワー**となった。イスラーム勢力は弱体化していたビザンツ帝国からシリアとエジプト、北アフリカを奪い、ササン朝を滅亡（六四二）させて、西アジアから地中海南岸に至る**リム・**

ランドにイスラーム帝国を形成した。古代以来続いてきた地中海の一体性は崩れ去る。

その間に**一三万人のアラブ人が広大なリム・ランドに移住**。アラブ人と商業を重んじるイスラーム教団が、農民や遊牧民、海洋民を統合し、支配する時代に入った。

六七四〜六七八年、イスラーム軍は、帝都コンスタンティノープルを包囲。コンスタンティノープルが陥落すれば、地中海は「イスラームの海」に全面的に変わることになる。ビザンツ軍は、石油を使った一種の火炎放射器（**ギリシアの火**）を使って、なんとかコンスタンティノープルを防衛するのが精一杯だった。

これにより、**古代の地中海世界は、「イスラーム世界」と北の「キリスト教世界」に分裂していく**。

2 冒険商人が主人公のインド洋

産業革命以前の最大都市バグダード

イスラーム世界の支配権は、征服に従事した遊牧部族ウマイヤ家（ウマイヤ朝）から、イスラーム勢力の手に取り戻した**アッバース朝**に移った。アッバース朝は、イスラーム教団の下での諸民族の連合勢力といえる。イラン人との提携が大切だったこともあって、アッバース朝は、中心をイラン人の本拠地と、ペルシア湾、インド洋に近いイラク地方に移した。

西アジアのリム・ランドに巨大な商業帝国のアッバース朝が成立すると、バグダードを中心とする商業圏が生み出す大きな需要に応えるために、ペルシア湾岸のイラン系、アラブ系の商人がムスリム商人として、インド洋周辺との交易を活性化させた。また、王朝の成立直後に、**タラス河畔の戦い**（**七五一**）でアッバース朝軍は高仙芝《こうせんし》が率いる唐軍を敗り、シルクロードにも進出した。陸・海の商業ネットワークが結び付き、シルクロードの商人までもがインド洋に進出するようになる。

その結果、アッバース朝は、東の中央アジアから西のイベリア半島、東のインド洋、南シナ海から西の地中海にまたがる**リム・ランドの交易圏を統合する商業帝国**となり、インド洋、地中海交易圏、シルクロードが国際経済都市バグダードでつながるようになった。

もともと、バグダードは、政治、宗教、軍事の中心都市というだけではなく、大商業圏を築き上げる立地条件を備えていた。ティグリス川とユーフラテス川が運河でつながる水上交通の要衝であり、ペルシア湾とその先のインド洋に近いという ような地政学的条件を持つ土地が、首都を建設する際に選ばれたのである。

商業上の要地だったこともあって、**バグダードは海路、河川交通、陸路の起点となり、短期間に人口一五〇万人を数える産業革命前の最大の都市に成長した。**

ダウという小型帆船の世界

バグダードの外港のバスラ、唐・宋との貿易港のシーラーフなどの港には、ナーホダーと呼ばれる海運業者が多数集まった。彼らは自ら船長として「ダウ」と呼ばれる外洋帆船を操り、インド洋の各地との交易に赴いた。ヨーロッパの「大航海時代」の船乗りがそうであったように、訪れた先々の航路・港湾情報、経済情報、新奇な情報が書き残されていった。

そうした無数の情報が、のちに『アラビアン・ナイト』の「船乗りシンドバッドの冒険」のネタ話として取り込まれている。ちなみに、シンドバッドという呼び名は、インド東部のシンド地方出身の船乗りという意味である。

ムスリム商人のダウは、当時は貴重品だったクギを一本も使わない、趣のある形をした外洋船である。今は見る機会が少なくなったが、昔はインド洋上をゆったりと行き来する、独特の形をしたダウ船によく出合ったものである。

ダウは、高いマストと巨大な三角帆に特色があるが、船板をココヤシの繊維で縫い合わせ、隙間にタール、繊維などを詰め込んで防水する簡単なつくりであり、のちに大砲が普及してもとても甲板には積めなかった。それが、インド洋が「交易の海」に終始した理由の一つになっている。

固有の歴史を持つペルシア湾・紅海・アラビア海・東アフリカ沿岸・ベンガル湾・南シナ海などのそれぞれの海域が、境界に位置する港を仲立ちにして互いに結び付き、ムスリム商人の大きな海の世界が成り立っていたのである。

歴史の読み方㉕

国際商業が栄えて貧富の差が拡大すると、リム・ランドのアッバース朝でスンナ（体制派）とシーア（反体制派）の争いが激化する。スンナ派が中央アジアの遊牧トルコ人をマムルーク（軍事奴隷の兵）として軍事的に利用したことから、内陸部から進出したトルコ人によるセルジューク朝が成立。アッバース朝の支配権を、ランド・パワーが握るようになった。

3 南シナ海交易が遅れて盛んになる理由

広州にできたムスリム商人の大居留地

八五一年にムスリム商人が著した『シナ・インド物語』には、寄港地での停泊日を除きペルシア湾から広州には順風で一二〇日が必要だ、と記されている。ペルシア湾からインド西岸までが一カ月、マラッカ海峡までが一カ月、マラッカ海峡以東の航海が二カ月、というような状態だった。実際には、モンスーン（季節風）の風向きが変わるマラッカ海峡での長期間の風待ちが必要だったので、往復二年間の大航海になった。

ムスリム商人は、西アジア産のガラス、木綿布、毛織物、アラビア半島産の乳香《にゅうこう》、竜涎香《りゅうぜんこう》などの香料、ペルシア湾の真珠、アフリカの象牙、犀角《さいかく》などを持ち込んだが、それだけでは商品が足りず、インド、東南アジアの産品の中継貿易にも依存した。

『シナ・インド物語』は、唐末に黄巣の反乱軍が広州を占領した時に、一二万人のイスラーム教徒、ユダヤ教徒、キリスト教徒、ゾロアスター教徒が殺害されたと伝えている。その数には誇張があるものの、想像できないほどのイスラーム商人が、珠江《しゅこう》三角州の北端に位置する唐代の最大の貿易港、広州に居住していたことが理解できる。

同書は広州にはモスクが建てられ、イスラーム教徒の「蕃長《はんちょう》」（外国人の代表）が裁判権を持つ自治居留地が設けられたことについて、次のように記している。

商人スライマーンは次のように語った。商人の集まるハンフー（筆者注＝広州）の町に1人のイスラム教徒がいて、この人物にこの地方に来ているイスラム教徒たちの間に起こった揉め事を裁定する権限をシナの長が与えている。それもシナの皇帝の意志から出た処置であった。この人物は、祭日にはイスラム教徒の礼拝を指揮し、金曜日の礼拝の説教を行ない、イスラム教徒たちのスルタンのために神に祈念する。そしてイラークの商人たちも、真理にかなった、また神の啓典とイスラム法にもとづいた彼の裁定と行為については、その権限を少しも否定しないのである。

カントリー・リスクで撤退したムスリム商人

塩の密売商人（当時は塩は政府の専売）の王仙芝《おうせんし》と黄巣が、黄巣の乱（八七五〜八八四）という大農民反乱を起こし、反乱が黄河流域から広東地方に広がると、広州は反乱軍に占領されてムスリム商人の財産が略奪され、多くの人命が奪われた。

その大反乱がきっかけになり、九〇七年に唐は滅亡する。中国のカントリー・リスクに愕然《がくぜん》としたムスリム商人は、広州、唐から撤退して、拠点をマラッカ海峡付近の島に移した。

ムスリム商人が東南アジア海域に去ると、中国南部と東南アジアの海域の間に空白が生じた。そうしたなかで、**中国南部沿海の「夷狄」とされてきた商人が、宋になるとダウを真似てジャンクという外洋帆船を建造し、東南アジアに進出するよ**うになる。

彼らがまず取引先にしたのが、七世紀以来、チョーク・ポイントのマラッカ海峡を支配し続けていたマレー人のシュリーヴィジャヤ（三仏斉）だった。ジャンク交易が短期間で目覚ましい成長を遂げたのは、そのためである。

中国商人の海洋進出は政治が主導したのではなく、南シナ海の経済情勢の変化がもたらしのである。**北の遊牧勢力（遼、金）に圧倒されて財政難に陥った宋と南宋は、ジャンク交易を保護した。**南宋の歳入の二割は対外貿易の収入だったとされる。

歴史の読み方㉖

この時代には、宋磁と呼ばれる陶磁器（英語でchina）が、絹に代わって中国を代表する新商品となり、東南アジア、西アジア、地中海・ヨーロッパに広く輸出された。そうしたことから大規模化した「海のシルクロード」は、「セラミック・ロード（陶磁の道）」とも呼ばれるようになる。

質のよい宋銭（銅銭）が日本や東南アジアに大量に輸出され、東アジアや東南アジアで通貨として使われた。活性化した経済・産業がジャンク交易を盛んにしたにもかかわらず、海軍が強大化しなかったことがアジアの海の世界の特色だった。

4 インド洋と南シナ海・東シナ海を統合した元

アジアの「円環ネットワーク」

一二六〇年に、クビライ（フビライ）・ハーンが自派だけのクリルタイ（部族長会議）でハーンの位につくと、弟のアリクブケも即位し、複数のハーンがモンゴル帝国の支配を争うことになる。一二六四年にクビライが単独のハーンになると、今度はハイドゥが中央アジアの諸部族を糾合してクビライに対抗。モンゴル帝国は、元とイル・ハーン国の農業地帯と、中央アジアの遊牧部族の連合に完全に分裂した。

クビライは商業を重視し、**元とイル・ハーン国との間の陸・海商業を安定させる**

ことで、秩序の維持を図った。陸上では、駅伝制で「草原の道」が整備され、元の首都、大都（カンバリク、現在の北京）とイル・ハーン国の首都タブリーズが結ばれ、安定した交易が行われるようになった。

大量に物資が運べる海でも、ペルシア湾、インド洋、南シナ海、東シナ海が航路で結ばれ、ペルシア湾とインド洋を結ぶチョーク・ポイント、**ホルムズ海峡の小島の港ホルムズが西の「拠点」**になり、インド洋、ベンガル湾、チョーク・ポイントの**マラッカ海峡**を経て、南シナ海、**台湾海峡の「拠点」泉州《ザイトゥーン》**に至り、さらに首都の大都にコメを運ぶ江南からの航路とつながった。

黄海航路は、江南の穀物の集散地である杭州を経由して、渤海に面した天津に至り、渤海に流れ込む白河と閘門《こうもん》式の運河の通恵河《つうけいが》により**大都**につながった。つまり、モンゴル帝国の時代には、**陸の「草原の道」と「海の道」が大都で結び付いたのである。**

歴史の読み方㉗

モンゴル帝国は、草原の道と海の道をつなぐアジアの円環ネットワークを支配したが、海の道は海洋民がつくった交易ルートであり、モンゴル人がつくったものではなかった。ムスリム商人が開拓したルートを巧みに管理しただけだったのである。元では、「色目人」と呼ばれたムスリム商人たちが経済を動かした。

意外な元寇後の日元貿易の隆盛

江南で産出するコメに依存した元は、杭州に集めたコメを、東シナ海、黄海、渤海を経由して天津に運び、そこから運河で大都に運んだ。そのルート上を、インド洋の物産も流れた。その結果、元の時代に「東アジアの大航海時代」は頂点に達した。

朝鮮半島西南部の新安沖で引き上げられた当時の日本の沈没船は、そうした交易の活況をよく物語っている。一三二三年頃、元の港、慶元(現在の寧波《ニンポー》)を出港した、全長二八メートル、最大幅約八メートルの商船が、漂流した末に**新安沖**で沈没した。その沈没した船が引き揚げられ、日元貿易の活況が明らかになった。同船から発見された木簡によると、この船は、一三一九年に焼失した京都の東福寺を再建する費用を捻り出すために、末寺の博多、承天寺の住職と博多在住の中国商人が送った貿易船で、中国人、日本人、高麗人の船乗りが乗り組んでいたとされる。積載した商品は、二万六九一点もの**中国陶磁器**、八〇〇万枚（約二八トン）の**銅銭**が主要な商品で、紫檀、黒胡椒なども積まれていた。陶磁器と銅銭は当時のジャンク交易の主力商品だったが、対日貿易でも同じだったのである。

西の「ルネサンス」に匹敵する東の「留学僧の世紀」

ユーラシアのモンゴル帝国の大領域を挟んで、東アジアの海と地中海は隣り合わせだった。モンゴル帝国の国際性は、ユーラシアの「陸の交易路」と「海の交易路」を結び付け、東西文明の交流を促進した。

第四回十字軍（一二〇二～〇四）がコンスタンティノープルを陥落させた後、東地中海に進出したジェノヴァは陸路、ヴェネツィアはエジプトのアレクサンドリアを介して、モンゴル帝国のアジア商圏と結び付いた。その結果、イタリアに莫大な富が流入して**ルネサンスの経済基盤**となり、中国の**羅針盤**、**火薬**、**活版印刷術**などがヨーロッパに伝えられた。**イタリア・ルネサンスは、ユーラシア規模の**

経済活動がイタリア半島で生み出した現象だったのである。

モンゴル帝国の時代の東アジアでも、海上交易の活性化を背景に国際化が進み、それまでに見られないような数の日本の禅僧が長い期間にわたり元に滞在した。当時、東アジアで流行していた、座禅により悟りが開けるとするわかりやすい禅宗は、中国的生活様式に根差しており、生活のなかで悟りを体感する宗教だった。そのため、僧侶の留学年数は必然的に長くなり、留学僧は中国的な生活様式を身につけた後で帰国した。

その結果、**書院づくり、作庭法、家具、精進料理、点心・飲茶などの幅広い中国文化が日本にもたらされ、日本の生活様式が大きく組み替えられることになった。**

モンゴル帝国の規模の大きいユーラシア商圏は、ユーラシアの西のイタリア諸都市を変化させただけではなく、東の日本文化にも大きな変化をもたらしたのである。立ち居振る舞いのよさを重視する日本の文化は、茶道、華道、歌道、香道などに見られるように、「**かたち**」**を重視**する「人は見た目が一番」の文化である。

一三世紀から一四世紀にかけて、禅宗を学ぶ日本の禅僧が中国に渡り、中国からも禅僧が渡来して中国文明をもたらした。宋に入った僧は七〇名に達したといわれ、元に入った僧は名前が知られているだけで二百数十人、無名の僧を合わせると数百人に及んだとされている。多くの禅僧が日本と宋、元を往来した一世紀を、歴史学者の村井章介氏は「**渡来僧の世紀**」と名づけている。日本にやってきた渡来僧としては、鎌倉五山の基盤を築いた蘭渓道隆《らんけいどうりゅう》（一二一三〜七八）、無学祖元（一二二六〜八六）、京都に天龍寺を建て京都五山の基盤を築いた夢窓疎石（一二七五〜一三五一）などがあげられる。東アジアの共通語は漢字・漢文であり、**五山僧は外交官**として幕府に重用され、宋、元との対外折衝にあたったのである。

5 ペストの大流行で劇的に幕を閉じた大交易時代

「一三世紀の世界システム」がペスト大流行を招いた

一四世紀から一九世紀まで、「小氷期」と呼ばれる寒冷期が始まる。低温と日照時間の不足で飢饉が繰り返された。

元の支配下の黄河流域では、一三二〇年代から三〇年代にかけて氾濫《はんらん》が続き、飢饉が広がった。そうしたなかで、モンゴル帝国の四つのハーン国では部族の対立が激化し、部族の結合が崩れていった。

ユーラシア規模に広がった商業は、ヒトとモノの交流を大規模化し、風土病が大流行する下地がつくられた。そうしたなかで猛威を振るったのが、中国雲南の風土病のペストである。**アメリカの歴史家マクニールは名著『疫病と世界史』で、一二五二年にモンゴル軍が中国南部、ビルマなどに侵入した際に囓歯《げっし》類に潜んだノミを伝染させたのではないかと推測している。**クマネズミに寄生するノミが媒介するペストは、元末の一三三一年に中国で流行し、中国の人口を半減させるほどの猛威を振るったと見なされている。

さらに、ペスト菌を持つノミは、ウマのタテガミやフタコブラクダの体毛に潜み、クマネズミも「草原の道」を西に移動し、ペスト菌は黒海沿岸にまで運ばれた。モンゴル帝国が駅伝制により一定間隔で設けた駅站《えきたん》がペストの中継地になったことは、マクニールも推測している。

一三四五年に、ペストはヴォルガ川の河口アストラハンに至り、キプチャク・ハーン国の南部にペストを流行させた。翌年、黒海北岸の、ジェノヴァの植民市カッファを包囲していたキプチャク軍の間にペストが大流行。多くの死者を出したキプチャク軍が撤退する際に、**籠城中のカッファに、悪臭ただようペスト罹病者の多数の死体を投石機で投げ入れた。**カッファはペスト菌で汚染される。

その後、カッファに入港したイタリア商船などが、トルコ、エジプト、シリア、イタリアにペストをはやらせて大流行になった。ユーラシアの東西貿易の拠点だったシリア、エジプト、北アフリカの商業は、ペストの大流行により人口の四分の一を失うという壊滅的な打撃を受けて劇的に衰退した。当時のイスラーム世界のペストによる死者は、二〇〇〇万人に達したのではないかとも推測されている。**八世紀中頃以降、約五〇〇年続いたインド洋を中心とする海の商業の繁栄が、ペストの大流行で脆くも崩れ去ったのである。**

一三四八年、イタリア半島経由でペストが広まったヨーロッパでも、一四二〇年にかけて人口の三分の一が死亡したとされる。それに英仏百年戦争、ジャックリーの乱、ワット・タイラーの乱などの民衆の蜂起が加わって、封建社会が大きく揺らいだ。それを、「**一四世紀の危機**」と呼ぶ。

ペストの大流行で、「**世界が大変動した一四世紀**」を的確に分析したのが、かつてカルタゴがあったチュニスで生まれ（彼はチュニスの英雄で、銅像が建てられている）、イベリア半島のナスル朝のスルタンに仕え、晩年をエジプトのカイロで過ごした、大著『歴史序説』の著者の大歴史家イブン・ハルドゥーンであった。自身が見聞したペスト大流行による世界の変貌を、彼はこう述べている。

東西の文明はともに恐ろしい疫病に見舞われた。国は荒廃し、人は姿を消した。疫病は文明のさまざまなよきものを飲み尽くし、消し去った。老衰期にあったいくつもの王朝が崩壊した。——都市や建物は廃墟と化し、道路や標識は跡形もなくなり、村や領主の館は無人になり、王朝や部族は力を失った——東方世界も同じような被害に遇ったようだ。もっとも、さらに豊かな文明に応じた被害ではあったのだが、まるで、世界中の全存在が忘却と束縛を求めて声をあげ、世界がそれに応じたかのようだった。

ペストは致死率が高いために陸上を伝播するのはきわめて難しく、船により各地にもたらされることが多い「貿易病」だった。アメリカの歴史家ジャネット・L・アブー＝ルゴドは、**一三世紀には、ユーラシアの内陸交通路とインド洋の海洋交通路が有機的に結合した「一三世紀の世界システム」**と呼ぶべきグローバルな交易が出現していたが（『ヨーロッパ覇権以前 下——もうひとつの世界システム』）、それが「貿易病」**ペストの大流行の土台となり、「一三世紀の世界システム」は崩壊した**、と指摘している。

歴史の読み方㉘

モンゴル帝国の崩壊、ペストの大流行によるインド洋交易の劇的な崩壊、東地中海での**オスマン帝国**の勃興、**ヴェネツィア**、**ジェノヴァ**などイタリア諸都市の衰退を受けて、ヨーロッパの西の外れのイベリア半島（リスボンが中心）から大西洋の海域が新たな経済の成長を生み出していくことになる（**大航海時代**）。歴史は、意外なつながり方をするものである。

イベリア半島で戦われてきたイスラーム支配を打ち倒すレコンキスタ（国土回復運動）が成功（一四九二）。イタリア諸都市の商人が居留地をつくった新興国ポルトガルの首都リスボンが、ユーラシアの辺境のヨーロッパから大西洋を開発する動きの中心になっていく。

6 ランド・パワーの明が組織した鄭和の南海遠征

対外交易を政治化した明帝国

約一〇〇年間続いた元が、紅巾《こうきん》の乱という農民軍の蜂起により倒されて明が成立したが、明は海から国を遠ざけ、伝統的な内陸の中華帝国への回帰を図った。明の建国者、朱元璋《しゅげんしょう》は、民間商人の海外貿易をいっさい禁止する「**海禁政策**」を実施。沿海や諸島を無人化し、沿海の要所に密貿易を取り締まる軍隊を配し、商人たちの海外貿易を厳禁、民間の大船は破壊され、建造が禁止された。
他方で、明の皇帝を中心とする政治的な朝貢貿易（勘合貿易）を使って、明の皇帝を中心とする復古的な国際秩序を取り戻そうとした。明に服属する諸国に限って貿易を認め、貿易船には大きな経済的利益を与えたのである。そうした独善的な外交により、モンゴル帝国の時代に南インド、ペルシア湾にまで伸びていた中国商人の大商業圏は消失。**ジャンク交易は、急速に縮小していった。**

歴史の読み方㉙

リム・ランドの明は、シー・パワーからランド・パワーに転換。帝国自体を強化することでハート・ランドの遊牧勢力と対峙しようとしたのである。明は、遊牧民の力が強まった一五世紀に、古代の秦・漢を引き継いで、現在も残されている万里の長城を建造している。

一六世紀半ばまでの中国は、世界最大の造船大国であり、シー・パワーとなりうる力を持っていたが、自らそれを放棄するという愚策をとったのである。そうした中国の海上での政治主導の衰退期の徒花《あだばな》となったのが、**第三代永楽帝が六回（次の皇帝の時代の分を加えると、全部で七回）にわたり、インド洋（当時は「南海」と呼ばれた）に派遣した二万七〇〇〇人の乗組員からなる、世界の海洋史に残る鄭和艦隊の遠征である。**

まず遠征隊が目指したのは、東南アジアにおける帝国が行う香辛料・薬材の国営貿易、チョーク・ポイントに巣食う海賊の鎮圧、マラッカ海峡での拠点の建設、インド洋の拠点セイロン島を確保するなど、地政学上の拠点を確保し、国威を発揚するための、やたらと費用をかけた海上遠征だった。

歴史の読み方㉚

鄭和の遠征は、儀礼的色彩が強く、実利的航海ではなかった。極論すると、元の実利交易から明の儀礼的交易への転換である。

中華秩序を視覚化した大艦隊

一四〇五年に、わが国の足利義満は京都の北山第《ほくさんてい》で明帝国の使節を引見し、大きな金印ならびに勘合符一〇〇道を受領して明の冊封体制下に入った。同年、イスラーム教徒の鄭和（銀の採掘のため雲南に入ったイスラーム教徒の子孫。元の滅亡後、子孫を残さないようにするため宦官《かんがん》にされた）は、永楽帝の命を受け、「**宝船**《ほうせん》」（西洋宝船、西洋大船ともいう）という大型ジャンク六二隻、乗組員二万七八〇〇余人を率いて第一回南海遠征に出た。

宝船は、長さ四四丈（約一五〇メートル）、幅一八丈（約六〇メートル）の、当時としてはとてつもなく大きな外洋ジャンクだった。大型船だけの航行はとうてい不可能なので一〇〇隻程度の小船も加わり、二〇〇隻弱の船が船団をなしていたと推測されている。しかし、鄭和の宝船は、のちのヨーロッパの帆船のように、舷側に大砲を積載した軍艦とは違っていた。体当たりや接舷移乗による攻撃を行う伝統的な艦船だったのである。

儀礼的性格も強く持っていた鄭和艦隊の二万七八〇〇余人の乗組員は、操船、外交、交易、戦闘などに対応できるように複雑に組織されていた。

まず中枢部に位置づけられたのが、正使太監《たいかん》、監丞《かんじょう》、少監、内監などの宦官（皇帝の召し使い）を中心とする使節団であり、外交に当たる数名の鴻臚寺《こうろじ》序班と教諭、天体を観測し天候を測る陰陽官と陰陽生、医者、火長（航海士）、舵工（操舵手）、班碇手（碇を扱う）、帆の上げ下げなどに携わる水夫などの乗組員、修理と補修に携わる船大工、多数の兵士、積載貨物の管理を担当する役人、通訳の通事、貿易実務を担当する買弁、記録を担当する書算手などからなっていた。つまり、**鄭和の一行は、アジアのお決まりの航路をたどる、基本的には国威発揚の外交使節団であり、国営商業にも従事した。冒険の要素はほとんどない使節団だった**のである。

鄭和はどうしてアフリカの「麒麟」を運んだのか

鄭和艦隊は、チョーク・ポイントのマラッカ海峡を挟む、マレー半島のマラッカとスマトラ島のサムドラ・パセーに前進基地を設けた。海洋国家の支援が必要だったのである。第三回の遠征までは非常に短い間隔で連続的にインド西岸に至る航海を繰り返した。第一回（一四〇五～〇七）、第二回（一四〇七～〇九）、第三回（一四〇九～一一）と遠征は切れ目なく行われた。航海の目的地は、胡椒の産出地として有名なインド西海岸の**カリカット**だった。

元代以降、カリカットはインド洋貿易の中心港だった。元末の汪大淵《おうたいえん》が、『島夷誌略《とういしりやく》』（一三五〇頃）で「巨海の要衝」と記しているように、インド洋交易圏の中心港だったのである。後に、喜望峰を経由したヴァスコ・ダ・ガマが、ムスリムの水先案内人イブン・マージドに導かれて訪れた港もカリカットだった。

鄭和は最初の航海に際し、カリカットに記念の石碑を建てたとされる。彼の艦隊がカリカットで入手したのは、胡椒、アラビア産の乳香、珊瑚、珍珠《ちんじゅ》（真珠を原料にした生薬）などだった。

遠征の転換点になったのは、第四回（一四一三〜一五）の遠征だ。目的地が、ペルシア湾口のホルムズまで延ばされたのである。何のためだろうか。それは、クーデターにより政権を握った永楽帝が、世界の外れの人々からも慕われる偉大な皇帝であると国内に宣伝するためだった。つまり、辺境から明への、朝貢使節を募りにいったのである。

四回目の遠征には、ムスリムの馬歓《ばかん》、西安のイスラーム寺院のハッサンなどが、新たにアラビア語、ペルシア語の通訳として参加した。航路は一五日延長された。ホルムズは、カリカットに向けて毎年大量の軍馬を積み出しており、航路を伸ばすことはそれほど難しいことではなかった。

この遠征では、マッコウクジラの内分泌物を原料とする珍貴な香料の龍涎香を手に入れるためとして、分遣隊がアフリカに至る中継拠点となる、一九の環礁群と約二〇〇〇ものサンゴ礁からなるインド洋上のモルディブ諸島にも派遣された。インド南端の南西に南北に長く連なるモルディブ諸島は、マラヤラーム語のマラ(「小高い」の意味)とジバ(「島々」の意味)の合成語に由来する。群島に船で近づくと、突然にライト・ブルーのサンゴ礁の海が目に入り感激する。モルディブ諸島は、東アフリカに渡るための商人の拠点だった。

現在は、二一五の島にムスリムが居住し、首都マーレは人口密度が世界一といわれる。過剰人口問題を解決するために、陸続きの人工島をつくって一部の住民を移住させているほどである。一五世紀後半には、そのマーレを、ポルトガル人がアフリカとインドを結ぶ戦略的要地として確保している。

第五回遠征(一四一七〜一九)では、分遣隊の航路はモルディブ諸島から東アフリカの沿岸部に渡り、キリン、ダチョウ、ライオン、シマウマなどの珍獣を黒人の使節とともに明にもたらした。とくに重要視されたのが、アフリカの現地語で

「ジリン」と呼ばれたキリンだった。首が長いのが珍しかったわけではない。なぜなのだろうか。

それはキリンが、神話に出てくる伝説の動物、麒麟《きりん》になぞらえられたからである。「キリンビール」のラベルになっている架空の動物は、よく目にすることだろう。麒麟は、体は鹿、顔は龍、蹄は馬、尻尾は牛の形をした、一〇〇〇年も生きる動物とされる。性格は穏やかで優しく、普段は人里離れて住み、皇帝の善政が行われた時に姿を現すと考えられていたのである。

もう、おわかりであろう。絶対君主の永楽帝が、その出現を喜んだからである。明に持ち帰られたキリンは、南京から北京まで引きまわされて、民衆にお披露目された。

第六回（一四二一～二二）の遠征の目的は、前回の遠征で中国に招かれたホルムズなど、一六カ国の使節の送還が主目的だった。記録が乏しく謎の多い航海である。遷都した北京の主要宮殿が落雷で焼失するという、永楽帝と天帝（天の神）との関係を疑わせる不吉な出来事を受けて行われた航海でもあった。一四二四年、永楽帝は落雷のショックが癒《い》えないままに逝去する。

皇帝も辛いもので、永楽帝はモンゴル高原が明の領土であることを示すために、モンゴル軍との戦いを避けながら、晩年に五回もモンゴル高原への遠征を行った。遠征を行わないと、遊牧民に既成事実をつくられてしまうからだ。永楽帝はかたちだけのモンゴル遠征の帰路、モンゴル高原の陣中で六四歳の生涯を閉じている。

永楽帝の没後、官僚の間に、莫大な国費を食う国威発揚の大イヴェントは中止すべきという声が上がる。北京での新宮殿の造営や遷都などによる財政難もあって、遠征は中止された。宦官中心の遠征に、もともと官僚たちは強く反発していたのである。

歴史の読み方31

鄭和の航海を最後に、「海の世界」からの中国の後退が決定的となった。宋朝以後続いてきたシー・パワーの時代が幕を下ろしたのである。満洲人・モンゴル人連合が支配する清朝は、さらにハート・ランド寄りに比重を移した。北へ北へと中国の中心は移動し、リム・ランドを支配した宋朝が持っていたシー・パワーの性格は失われていったのである。

第五章

北から膨張したヴァイキング世界

寒冷の海から広がったネットワーク

1 交易で食糧を求めた商業民

過剰人口の解決策としての移住

マッキンダーは、ヨーロッパを「世界島の半島」と呼んだ。ハート・ランドから見れば、確かに「**辺境**」である。その「半島」の北の、さらなる「辺境」から、九世紀、一〇世紀に新たな波動が起こってくる。

高緯度地帯のバルト海、北海は、合わせて「**北の地中海**」といわれるが、はるかに小ぶりである。二つの海を合わせても、地中海の面積の六割弱にすぎない。

この地域の住民を苦しめたのは「厳しい寒さ」で、周期的に飢えが襲った。そうした苛酷な環境が、海に依存する「商業民」を育てた。それが、「**北のフェニキア人」と呼ばれるヴァイキング**である。偏西風が吹き荒れる海域が、強大なシー・パワーを育てたのである。

そうしたヴァイキングの末裔《まつえい》が、オランダ人、イギリス人である。一九世紀の「ヨーロッパの世紀」のルーツになったのは、ポルトガル、スペインのイベリア半島ではなく、厳寒の北海だったのである。

北の海洋民は、氷河が侵食した「フィヨルド」(ヴィク、「入り江」の意味)に住んでいたところから、「ヴァイキング」と呼ばれた。「入り江からやってくる人々」というほどの意味である。

ヴァイキングというと「海賊」のイメージが強いが、基本的には農民であり、農閑期に海と河川を利用する商業に従事していた。人口が過剰になると、移住・植民せざるをえなかった。時には略奪も働いたが、略奪が専業ではなかったのである。

ヴァイキングの海賊行為の記録は、八世紀に始まる。年代記作者ダラムのシメオンが残した、七九三年のヴァイキングによるイングランド北東部沿海のリンディスファーン修道院襲撃の記録には、「聖具を踏みつぶし、聖壇を引き倒し、修道士を殺害し、住民を奴隷として連行した」と、ヴァイキングへの恐怖を記している。

歴史の読み方㉜

地中海の海洋民は「乾燥」による食糧不足から海に進出したが、ヴァイキングは「寒冷」による食糧不足を補うために、積極的に海に進出しなければならなかった。

進水式で赤ワインが使われる理由

バルト海周辺は、船材となる樫《かし》、帆柱用のスカンジナビア松が豊富で、帆布と索具の材料となる麻・亜麻などにも恵まれていた。ヴァイキングが、造船の達人になったのは、そのように自然環境に恵まれていたからである。荒れる海により船が損傷し、修理と新造が頻繁に行われたことも、造船技術を向上させた。豊富な木材を利用して、長さ二〇～三〇メートル、幅六メートル、重さ二〇トン程度の喫水線の浅い、美しいロング・シップがつくられている。

ヴァイキングは、気まぐれで、時に死や災いをもたらす主神オーディンの心を和ませ、航海安全を図るために、船の進水に際して奴隷や囚人を生《い》け贄《にえ》として捧げた。進水式や船の命名式の際に赤ワイン（現在はシャンパンが多い）が使われたのは、生け贄の血の代わりに赤ワインが使われたためだとされている。

「スターボード」と「ポート」

ヴァイキング船では、理由はよくわからないが、舵が船尾の右舷に設けられていた。ケルト人の社会では「右」が縁起がよく、「左」は縁起が悪いと考えられており、ヴァイキングもそれを取り入れたのではないかと考えられている。櫂はブレード（水搔《か》き）の部分が長く、船底よりも深い位置で水を搔いて、強い推進力が得られるようになっていた。

ちなみに、現在、船の「右舷」を英語で**スターボード**（starboard）と呼び、「左舷」を**ポート**（port、「港」の意味）と呼んでいるが、それはかつて船を着岸させる際に、舵を傷めないために「左舷」を接岸させたことに由来する。

スターボードは、舵のついている舷（ステアボード、steerboard、「船を操る舷」の意味）に由来する。操船に責任を持つ船長は、当然のことながら舵のある「右舷」にいなければならず、船長室はスターボードに設けられた。クルーズ船で「右舷」が上席とされるのはそのためである。

北の荒れた海で鍛えられたヴァイキングの操船技術は素晴らしく、海図も使わずにノルウェーからアイスランドまでを、わずか九日間で航海することができたといわれる。星を頼りに航海がなされたが、夜間に進路を見失った時には、船内で飼っている鷹やカラスを放って、その飛んで行く方向から陸地を確認したとされる。

北ヨーロッパの「心臓部」、北海

北海とその周辺が、ヴァイキングの主な活動の場になった。ヴァイキングの侵略に悩まされたのが、強力な支配力を持たない西フランク王国（現在のフランス）とイングランドだった。

また、北海には多くの河川が流れ込み、バルト海の船が北海を経由したので、交易や移住も盛んに行われた。

八四五年、一二〇隻のヴァイキング船が、蛇行するセーヌ川をさかのぼってパリを攻めた。その時にヴァイキングの蛮行を恐れたシャルル二世は、彼らに贈り物を与えて退去させた。ところが味をしめたヴァイキングは、八八六年までの四〇年間に、四回もパリに押しかけ、贈り物を求めることになる。たまらずに**西フランク王シャルル三世は、ノルマンディ地方をノルウェー系ヴァイキングの首長ロロの居住地域とし、ノルマンディ公国として与える**。その見返りとして、王は、ロロにほかのヴァイキングの侵攻を食い止めるという約束をさせたのである。それが、現在のフランス北部の大酪農地帯のノルマンディ地方の起源ということになる。

歴史の読み方㉝

北海の狭い海域には、現在、EUの玄関口としてヨーロッパ最大の貨物取扱量を誇るロッテルダム港のほか、ロンドン、ハンブルク、アムステルダム、アントウェルペン、ブリュッセルなどの経済・金融都市が集まっている。ロンドンとアムステルダムの距離は神戸と東京程度であり、オランダ（日本の九州程度）、イギリス（日本の三分の二程度）も小国である。しかし逆に、北海の狭さが、沿海諸国を一体化させて、大きなパワーをつくりだしてきたといえる。

ノルマン・コンクエスト(征服)とロンドン塔

イギリスは、イングランド、スコットランド、ウェールズ、北アイルランドからなる連合王国だが、イングランドを除く三国はいずれもケルト人の国である。イングランドだけがヴァイキング系なのだが、最初は対岸のユトランド半島(デンマークとその周辺)から、アングル人(「アングル人の土地」がなまってイングランドとなった)とサクソン人が移住した。

その後、一〇六六年、フランスのノルマンディ公ウィリアムが王位の継承権を主張して、軍船七〇〇隻をはじめとする三〇〇〇隻の船を率いてイングランドを攻略し、ウィリアム一世としてノルマン朝を建てた(**ノルマンの征服**)。

ロンドンの観光名所のロンドン塔は、島民を統治するための拠点として、一一〇〇年頃から建設された要塞、王の居城だった。そのためもあって、百年戦争でイギリスとフランスが別々の国になるまでは、イギリスの公用語はフランス語だった。たとえば、英語の**beef**(牛肉)、**mutton**(羊肉)、**pork**(豚肉)などは、いずれもフランス語に由来する。生きた牛を意味する語が、英語では**ox**、フランス語ではbovinであることから、beefがフランス語に由来することは明らかである。英語はとても難しい国際語なのである。

九九九年になると、地中海でイスラーム教徒の傭兵として使われていたフランスのノルマンディ地方のヴァイキングの末裔がシチリア島を占領。その後、南イタリアにまで領土を拡大して、一一三〇年にノルマン・シチリア王国を建てた。

2 シー・パワーのハンザ同盟の勃興

ドイツ商人の「拠点」になったリューベック

モンゴル帝国がユーラシアに覇を唱えた時代に、「ヨーロッパ半島」の周辺の地中海、北海、バルト海でも、海洋民の交易活動が活発になった。ロシアにキプチヤク・ハーン国が建てられると毛皮交易が盛んになり、その影響がバルト海や北海にまで及んだのである。

バルト海の南岸では地中海の十字軍の精神的影響を受け、異教徒のヴァイキングが居住するバルト海への北方十字軍が組織された。とくに南岸へのドイツ人の移住（東方植民）が進み、一二世紀頃から商業都市の成長が始まる。

一一五八年から翌年にかけて、バルト海に流れ込むトラヴェ川の河口から二〇キロメートルさかのぼったヴァーケニッツ川との合流点の中洲の島を中心に、**リューベック**（現在はドイツ領）が建設され、ドイツ商人の組合がつくられた。一二世紀以降になると、ヨーロッパ各地にリューベックのニシンの塩漬けが輸出されるようになり、リューベックはバルト海の中心的な商業都市として成長する。

しかし、バルト海の出口の**エースレンド海峡**の通過が大変だったため、商品は陸路で北海に面した**ハンブルク**へ送られ、そこから外洋の北海に送られることになった。

そうした関係から、結び付きを強めたリューベックとハンブルクの両市が中心になって**ハンザ同盟**が結成される。しかし、一五世紀末になると、エースレンド海峡に安全な航路が開かれ、オランダに繁栄が移っていくことになる。

リューベックを盟主とするハンザ同盟は、一三世紀末になるとゾイデル海（「南の海」の意味）からフィンランド湾に至る一〇〇以上の都市からなる大同盟に成長した。

ハンザは「仲間」の意味で、最盛期には毛皮の集散地、ロシアのノヴゴロド、ニシンの集散地、ノルウェーのベルゲン、羊毛の集散地ロンドンなどに自治権を持つ同盟の商館が設けられた。

ハンザ商人は、バルト海のニシン漁を独占し、同盟の規則では一一月一一日以後の一般商船の航海は禁止され、クリスマス用のニシン、干タラの輸送のみが許されたとされる。また、ハンザ商人はニシンや東欧の穀物とフランドル地方の毛織物の仲介貿易にも従事し、ノヴゴロドでの対ロシア貿易を独占。

カスピ海、ヴォルガ川経由で運ばれたイスラーム圏、中国などの物産も扱った。モンゴル帝国のユーラシア商圏は、地中海の交易を活性化させただけではなく、ロシアを介してバルト海・北海の交易も活性化させたのである。

ハンザ同盟は、外国船による商品輸送の禁止、同盟船での外国人乗組員の雇用禁止などの規定により相互の利益を守った。

ハンザ同盟VS.ヴァイキング

ハンザ同盟の商人たちが商品輸送に利用したのが、喫水線が深く、大きな船倉を持つ**コグ船**だった。コグ船は一本のマストと大きな四角帆、船尾の小さな船楼、船尾中央の舵に特色があった。ヴァイキング船は、商品を大量に輸送できるコグ船との競争に敗れていく。コグ船は地中海にも進出。ヴェネツィアやジェノヴァにも販路を拡大した。

一三世紀から一四世紀にかけて、バルト海ではハンザ同盟とヴァイキングの対立が強まった。ヴァイキングは、バルト海の最大の島ゴトランド島を拠点とする「神の友にして世界の敵」という名の海賊団ヴィタリエンブリューダー（食糧を送り届ける人々）を結成。食糧調達に努めて、かつてのヴァイキング世界を守ろうとした。

海賊団はハンザ同盟諸都市と戦いながら力を伸ばしたが、一三九八年にデンマーク王マルグレーテが雇った十字軍騎士団長コンラート・フォン・ユンキンゲンの手でゴトランド島を追われてしまう。その結果、**ハンザ同盟のバルト海支配が**

確立された。ヴァイキングの活躍の時代が終わったのである。しかし、ハンザ同盟も大航海時代以降は衰退し、一六六九年、有名無実化する。

3 スウェーデン系ヴァイキングのロシア建国

川の大ネットワークの上に形成されたロシア

バルト海の最深部に居住するスウェーデン人は、ヴァイキングの中ではもっとも豊かだった。なぜかというと、彼らはもっぱらロシアの諸河川（雪解け水が豊富で、バルト海、黒海、カスピ海をつなげる）を利用して、西アジア、地中海との交易に従事していたからだ。

スウェーデン系ヴァイキングは、古代にはバルト海で打ち上げられた**琥珀**（琥珀松の化石）を西アジアの諸王朝、ギリシア・ローマに運んだが、**イスラーム時代に**

なると、大規模な毛皮（黒テン、キツネ）貿易を行うようになった。

歴史の読み方㉞

スウェーデン人がロシアで交易に使ったのは帆船ではなく、多人数が櫂を操る小さな川船だった。彼らは、ロシアの諸河川を利用して本拠地のバルト海と中央アジアのカスピ海、黒海を結んだ。

積雪が多いロシアでは、**モスクワ**（都市名は「沼沢地の川」に由来）の北西に位置する標高約三四〇メートルのヴァルダイ高地を中央分水嶺として、南の黒海・カスピ海、北のバルト海に向かって大河がゆったりと流れ下り、その支流が東西に広がり、「川の道」により全土がつながっていた。川が直接つながらないところには、船を担いで移動する連水陸路という陸路が拓かれた。

諸河川は、ロシアの行政・交易・文化のネットワークの中心で、北の森林地帯と南の草原地帯を結ぶ役割も果たした。ロシアの主要都市だったキエフ、ノヴゴロド、モスクワ、ボルゴグラード、アストラハンなどは、いずれも大河の流域にある。**ロシアは、網の目状の「川の道」の上に成立した特異な世界だった**のだ。

ロシアの歴史家ヴァシリー・クリュチェフスキーは『ロシア史講話』で、諸河川を結ぶネットワークがロシア社会の基本となっていることについて、「ロシアの河川は、その沿岸住民に社会生活と交際を教えこんだ。古代ルーシでは移住は河川に沿って行われ、居住地も緩やかな船の通ずる河川の岸辺に沿ってとくに密集し、河間には人の住まない森林または沼沢の地域が取り残された」と述べている。

スウェーデン人は毛皮交易のプロ

ロシアの諸河川を利用する交易網は、古くから拓けていた。その証拠になるのが、先に述べた琥珀である。琥珀は静電気を帯びやすいという性格を持ったため、古来、神秘的な石として崇められた。世界的な産地はバルト海沿岸といわれる。嵐の際にバルト海の海底に堆積していた琥珀松の樹脂の化石が浜辺に打ち上げられ、それが商品とされたのである。

「琥珀の道」としては、ローマ帝国中枢部に至るルートが有名だが、トルコ半島に王国を築いたヒッタイトの琥珀製の太陽神がバルト海に面したリトアニアから発掘されており、ロシアの「川の道」も「琥珀の道」として利用されたと推測される。

ロシアの「川の道」の交易が急に活性化するのは、ロシアの森林地帯に棲息する毛皮獣の毛皮が贅沢品としてイスラーム世界で大売れに売れたためだった。しかし、砂漠のムスリム商人は鬱蒼《うっそう》と木が茂る森林に恐れをなし、直接ロシアに赴くことはなかった。

そこで、**スウェーデン系ヴァイキング**が活躍することになったのである。ヴァイキングは森の間をヴァイキング船でめぐり、狩猟民から黒テン、リス、キツネなどの毛皮を買い集めた。

バルト海の奥地に住むスウェーデン人は、バルト海のゴトランド島などを拠点として、毛皮、琥珀、蜂蜜などをヴォルガ川河口に運び、イスラーム世界の銀貨や東方の物産を入手した。毛皮はムスリム商人の手でカスピ海を縦断して、バグダードへと運ばれた。

ヴァイキングの墓から出土した二〇万枚のシルクロード銀貨

ヴァイキングが毛皮交易で獲得した約二〇万枚もの大量の銀貨が、ロシアからバルト海周辺に至る各地のヴァイキングの墓から出土する。その半数はゴトランド島からの出土である。スウェーデンの歴史家B・アルムグレンの『図説　ヴァイキングの歴史』は、こう記している。

むろん埋納銀貨が、交易によって島に招来された銀貨の総量といったものを示すわけではなく、総量自体を推測することは難しい。だが、かりに交易で得られた千枚の銀貨につき一枚だけが出土するとしたら――かなり楽観的な計算だろうが――、ゴトランド島人たちは交易が最盛期にあった一世紀半の間に一億枚以上の銀貨、つまり少なくとも一年に一〇〇万枚程度の銀貨を得ていたはずだ。

また、面白いことに、イスラーム世界からもたらされた銀貨の多くは、シルクロードの中心地の「西トルキスタン」を支配していたサーマン朝の銀貨だった。そこから、毛皮交易にシルクロードの商人が多数参加していたことがわかる。

九世紀中頃のアッバース朝の役人イブン・フルダーズベの著書『諸道と諸国の書』の以下のような記述は、ロシアの「川の道」を利用した交易が盛んになり、バルト海と黒海、カスピ海を結ぶネットワークが活性化した状況を説明している。

ルーシ人は、スラブ人の住まうもっとも遠いところから、ローマ人の海（黒海）を渡ってコンスタンティノープルにやってくる。そしてこの地で、彼らの商品である海狸の皮、並びに刀剣を売る。あるいは、彼らをスラブ人の川、つまりドン川（ヴォルガ川の誤りか）をさかのぼり、ハザール人の都（イティル）を目指して進む。この地で彼らは小船に乗り、ジュルジャーンからバクダードへ運ぶ。バクダードではスラブ人の宦官が、彼らのために通訳の役をする。

九世紀、十世紀には、北ヨーロッパのヴァイキング世界がヨーロッパの貨幣経済をリードしていたのである。

ロシアの語源は「川舟の漕ぎ手」

一〇世紀になると中央アジアの草原地帯では、トルコ系遊牧民ペチュネグ人の活動が活発になって、草原のイスラーム世界と森林地帯のロシア世界の関係が断ち切られた。ムスリム商人とロシアの結び付きは弱まり、**毛皮交易でロシアに進出していたヴァイキング（ルーシ）が自立して、ウクライナのキエフを首都とするキエフ公国が建てられた。キエフ公国は、ロシアで最初の国とされる。**

『ロシア原初年代記』に収められた、九四五年のイーゴリ一大公とビザンツ帝国の条約の前文によると、ビザンツ帝国を訪問した約二五人の使節のすべて、約二六人の商人のうち二四から二五人の名前がスカンジナビア系であり、わずかに一、二人がスラブ系の名である。こうした事実が示すように、キエフ公国はヴァイキングを中心にした体制だったことがわかる。ロシアは、「ルースカヤ・ゼムリヤー（ルーシの国）」とされた。ちなみに、ルースあるいはルーシは「船の漕ぎ手」の意味で、スウェーデン系ヴァイキングを指す。

歴史の読み方㉟

のちにソ連の指導者スターリンは、スウェーデン系ヴァイキングがロシアを建国したという学説を、ソ連の歴史学者を動員して否定した。アーリア（ゲルマン）人の優越を唱えるヒトラーが、ヴァイキングの活躍を悪用してロシア征服の正当性を主張したためである。

4 ラッコ猟でカリフォルニアまで南下したロシア人

ロシアをシー・パワーにしそこねたピョートル大帝

二〇〇年間にわたるキプチャク・ハーン国の支配から独立した**ロシアは、モンゴル帝国の後継国家となった。**ロシアを回復したイヴァン三世は、一四五三年に滅亡したビザンツ帝国の最後の皇帝の姪と結婚し、「ツァーリ（皇帝）」の称号を引き継いだ。

最大産業の毛皮交易の停滞を打開する必要から、ロシアはトルコ系遊牧民のコサックを使い、**広大なシベリアに進出**。巨大な川と川を結んで、一七世紀後半に一〇〇年間足らずでシベリア征服を成し遂げ、オホーツク海にまで領土を拡大。**ユーラシアのハート・ランドを支配する最大のランド・パワーに成長した**。

その後、**躍進目覚ましいオランダ、イギリスにならって海洋進出を果たそうとしたのが、ピョートル一世である**。一六八二年に即位したピョートルは、ドイツ人家庭教師と外国人居留地の外国人から西欧の技術、軍事、海事を学ぶ。彼は、ロシアが派遣したヨーロッパ視察団に紛れ込んでイギリス、オランダを訪問。ランド・パワーのロシアの変革を目指した。

ピョートルは、シー・パワーに転換するには、まずは大西洋につながるバルト海の覇権、次いで海軍の創設が必要と考え、スウェーデンとの間に北方戦争（一七〇〇〜二一）を起こす。

ピョートルは、バルト海に注ぎ込むネヴァ川の河口に新首都、軍港の**サンクト・ペテルブルク（「ピョートルの街」の意味）**を築き、海軍の創設に乗り出すが、川船しかない**ロシアには外洋の航海に耐えられるような艦隊はつくれず**、喜望峰を経由するアジアへの航海はとても無理だった。そこで、彼はシベリアからアジアの海を探検することに期待をつなぐことになる。

ベーリングの探検

一七二五年、死の三週間前にピョートル一世は、シベリアと北アメリカが陸続きか否かを調べさせるために、二〇年間ロシア海軍に勤務していたデンマーク人ベーリングに、東方海域を調査する探検隊の組織を命じた。

ベーリングは、五〇人の隊員とともに一年かけてシベリアを横断。一七二七年にカムチャッカ半島に着いた。そこで二隻の探検船が建造されて探検が行われるが、シベリアの海岸線が北緯六七度一八分以南ではアメリカ大陸と陸続きでないことを確認できたのみだった。

一七三三年、ベーリングを隊長とする六〇〇人余りの大探検隊が再度組織され、**シベリアの先に海峡（ベーリング海峡）を挟んで陸地（アメリカ）があることが明らかにされた**。アメリカ大陸とシベリアとの地理的関係、ベーリング海やオホーツク海の状態が、初めて明らかにされたのである。

ロシアを北太平洋に進出させたラッコの毛皮

重要なのは二度目の探検で、**ベーリング海で高価な毛皮獣のラッコの群が多数生息していることがわかったこと**だった。**ラッコの毛皮**は世界最高級の毛皮で、清では高額で売れ、「**柔らかい黄金**」と呼ばれるほどだった。みすみす「宝の海」を見逃す手はない。

シベリアの毛皮商人たちは競って、ベーリング海、オホーツク海、北太平洋に乗り出し、一七四〇年代以降、ラッコ猟が急激に盛んとなり、何十万頭ものラッコが仕留められた。ラッコを追い求めて、アリューシャン列島、千島列島、アラスカ、カリフォルニアへとロシア人の進出が続く。しかし、実際に素早く動くラッコを仕留めたのは、カヤック（木の枠に毛皮を張った小舟）に乗って海を縦横に航海できる海のハンター、アリュート人（アリューシャン列島の狩猟民）だった。

ラッコについて少し述べておく。ラッコは、オットセイ、アザラシ、トドなどの鰭脚《ひれあし》類ではなく、食肉目イタチ科の動物であり、海生のイタチ、カワウソの仲間と考えればよい。皮下脂肪の層がないのである。

そこで厳寒の海で三七度前後の体温を維持するため、ラッコは体毛を密生させるようになり、毛皮の中に断熱のための空気を溜め込んで寒さに耐えた。一頭のラッコの毛皮は八億本から一〇億本の体毛からなっており、下毛の綿毛の密度は一平方センチメートル当たり一〇万本から一四万本にも及んだという。そうしたクオリティの高い毛皮のお得意先になったのが、清の金持ちの官僚たちだった。

当時の世界では、清帝国は超大国。支配層の満洲人貴族は、贅沢のし放題だったのである。ラッコの毛皮貿易の流れができあがり、一七世紀には数十万頭いたと推測される北太平洋のラッコは、急速にその頭数を減らした。

ラッコがとれなくなると、不要となったラッコの猟場アラスカは、南北戦争後にアメリカに安く売却され、いらなくなった千島列島も、樺太・千島交換条約（一八七五）により、樺太（サハリン）の居住権と交換に日本に譲り渡された。

歴史の読み方㊱

樺太・千島交換条約で日本に譲渡された千島列島（クリル諸島）は国際法上は、日本の領土である。しかし、ロシアは、清から奪った日本の四割の面積を持つ沿海州など軍事力で多くの領土を獲得しているため、国後《くなしり》、択捉両島の日本返還は、ほかのロシア帝国が侵略で獲得した領土とのからみで、返還が難しい。

そこで、ロシアはヤルタ会談での、アメリカ大統領フランクリン・ローズヴェルトの密約を論拠に、支配の合法性を主張しており、交渉が必要になる。ただ、歯舞《はぼまい》群島と色丹《しこたん》島については、ロシア人の学者が述べているように、功名心にかられた現地軍がついでに不法占拠した島なので、無条件で即時返還するのが当然といえる。

5 ヴァイキングの新大陸移住

ヴァイキングの日常活動圏だった北大西洋

北の海で活躍したヴァイキングは、バルト海域とスカンジナビア半島を中心に、次のような三つの航路を拓いた。

①バルト海を東に向かうオストベク（東航路）

②北海を西に向かうベステルベク（西航路）

③スカンジナビア半島を北に向かいグリーンランドに至るノルレベク（北航路）

一〇世紀頃にノルウェー・ヴァイキングは、アイスランド、グリーンランドからアメリカ大陸北部にまで航路をのばした。彼らは大西洋を特別には意識せず、生活の海として横断。アメリカ大陸に渡ったのである。アイスランド、グリーンランドを経由すると、北ヨーロッパからアメリカ大陸は非常に近かった。

現在は、地球温暖化のために北極海の氷が溶けて夏の間の商船の航行が可能になり、インド洋を経由する航路の三分の一でアジアとヨーロッパが結ばれるようになりつつある（**北極海航路**）。二〇四〇年以降、通年の航海が可能になるともいわれるほどなのだ。**北極海からヨーロッパへの出口に位置するデンマーク領のグリーンランドが、地政学的に大変重要な島になってきている**。中国はグリーンランドの先住民の独立の動きを支援し、アメリカのトランプ前大統領はデンマークにグリーンランドの買収を申し出て、断られている。

九八二年、殺人を犯して三年間アイスランドから追放された「**赤毛のエリック**」は、その間にグリーンランドを探査、九八五年に島の南西部に二つの植民地を拓いた。大西洋と北極海の間に横たわる**グリーンランドは世界最大の島だが、全土の八五パーセントが氷河で覆われている**。

そのため植民を希望する者が集まらなかった。そこでエリックは、この島を「**緑の島（グリーンランド）**」と命名し、植民希望者を募ったのである。宣伝につられて移住した人たちは、氷河の多い島に唖然としたことであろう。

でも、来た以上しようがない。ヴァイキングの入植者は、大航海時代が始まる頃に全滅するまで、グリーンランドに住み続けた。グリーンランドはその後、デンマークの植民地を経て、現在は領土の一部に組み込まれている。

エリックの息子のレイフとトールグルトは、グリーンランドからさらに南に進んで北アメリカのチェサピーク湾（現在のワシントンDCの東の湾）付近に到達。彼らはその地に、「**ヴィンランド（ブドウの土地）**」の名を与えた。

最初にヨーロッパから大西洋を横断してアメリカ大陸に到達したのは、コロンブスではなく北大西洋を生活圏とするヴァイキングだったのである。

第六章

大航海時代と大西洋

東周りのポルトガルと西に直進したスペイン

1 大洋が結び付く時代への転換

地中海経済の地盤沈下と大西洋経済の勃興

チンギス・ハーンがモンゴル高原を統一する二年前の一二〇二年、ヴェネツィアの軍船に乗った**第四回十字軍**の兵士達は、聖地イェルサレムの奪還には向かわずに、兄弟が帝位をめぐって激しく争うコンスタンティノープルへ向かった。

十字軍に船を提供するヴェネツィア商人は、コンスタンティノープルの商業権を奪うための絶好のチャンスと見なしたのである。十字軍は皇帝を追い出し、**ラテン帝国**を建てる。コンスタンティノープルに居住するヴェネツィアの市政官が、ラテン帝国の陰の支配者になった。

亡命したビザンツ帝国の皇帝テオドロス一世は、トルコ半島西部の都市ニケーアに亡命政権を建て、ジェノヴァの支援を受けてラテン帝国と対抗。やがて、ビザンツ帝国を復興した。そうした紛争のなかで、ジェノヴァとヴェネツィアはコンスタンティノープルで勢力を拡大し、アジアの商業圏との結び付きを強めることになる。

ビザンツ帝国は、黒海で産出される穀物を首都コンスタンティノープルの食糧として確保するために、長い間、他国の商船が黒海海域に入って自由に貿易することを制限してきた。しかし、**ヴェネツィア**は黒海の自由航行権を獲得して、クリミア半島のソルダイア（スダク）に「拠点」を築き、地中海でもクレタ島を中心に交易網を広げて、インド洋、紅海から運ばれてくる香辛料の貿易を支配した。ヴェネツィアと対抗する新興勢力の**ジェノヴァ**も、南ロシアを支配するモンゴル人のハーンからクリミア半島の**カッファ**（現在のフェオドシア近郊）に商館を開設する権利を獲得。アゾフ海の奥に位置するドン川河口の**タナ**にも植民市を建てた。有名なマルコ・ポーロはヴェネツィアの商人だが、カッファやタナから多くの「無名のマルコ・ポーロ」が西アジア、インド、中国との間の大規模な交易を行った。

かつてビザンツ帝国は商品に八分の一の商業税を課していたが、イタリア商人が支配する地域ではジェノヴァ、ヴェネツィア商人の商品は無税とされた。折からヨーロッパは「農業革命」で領主の生活も豊かになっており、香辛料をはじめとするアジアの商品から大きな利益を得た。それが、イタリア・ルネサンスの財源になった。

ところが、**モンゴル帝国の崩壊によるユーラシアの大変動の流れを受けて、トルコ人が小アジア（トルコ半島）にオスマン朝を建てる。**オスマン朝は、実に六〇〇年も続く国際国家であった。支配民族のトルコ人の人口が少ないことから、オスマン朝はイスラーム教を信仰し、トルコ語を話せば「オスマン人」として認めたのである。

オスマン帝国は、地中海沿岸と西アジアにまたがるリム・ランドに成立したため、ランド・パワーとシー・パワーを併せ持つ国になり、一四五三年には余勢を駆ってビザンツ帝国の大国際港コンスタンティノープルを征服。ローマ帝国の後継帝国と称した。オスマン帝国は商業帝国であり、地の利を生かして商業圏を拡大したために、ヴェネツィア、ジェノヴァは地中海交易から大きく後退せざるをえなくなった。

そこで、大西洋での市場の開発が目指されることになる。ジェノヴァの商人はポルトガルの交易港**リスボンに居留地を設け**、そこを拠点にフランドル地方との交易、大西洋上の島々での砂糖の生産、航路の開発などに乗り出した。コロンブスもリスボンで活動したジェノヴァ人であり、ポルトガルのアフリカ西岸の探検航海もリスボンと深くかかわっていた。**リスボンから「大航海時代」が始まったといっても過言ではない**。

歴史の読み方㊲

オスマン帝国が台頭すると、黒海のクリミア半島に設けた植民市を拠点にして陸路でユーラシア各地と交易していたジェノヴァ経済は大きく落ち込んだ。ヴェネツィアも、一五三八年にスペイン、ローマ教皇と連合してオスマン帝国の海軍とプレヴェザで戦ったが敗北。地中海の交易を後退させた。

大西洋の「風」の発見

地表の七割を占める海は、潮流、風向き、岩礁、海賊など数々の障害により、陸地にとっての障害物と考えられてきたが、実は遠く離れた陸地を結び付け、大量の物資を運ぶことのできる大空間なのである。しかし、大航海時代以前に開発されていた海は、地中海などのマージナル・シー(縁海)、ユーラシアの陸沿いの海域に限られており、モンスーンの規則性を利用して外洋を航海できるインド洋は、例外的な海域だった。

それが、大航海時代に一挙に外洋に航路が拓かれ、大西洋を中心にして、インド洋と太平洋がつながっていく。なぜ、そうした転換が起こったのだろうか。

アメリカの歴史学者フィリップ・カーティンはその著『異文化間交易の世界史』のなかで、大航海時代をもたらしたのは船舶設計上の革命ではなく、世界の風が系統的に発見されたからだ、と指摘する。大航海時代に造船技術や操船技術は、ほとんど変化していないというのである。

帆船にとっては風向きとその季節的変化を知ることが重要で、緯度により異なるそれぞれの海域の「風」が解き明かされる必要があったのである。大航海時代の船乗りたちは、まめに緯度を観測し、風向きに注意して航海した。船乗りの**海の風**の規則性を読む能力が急速に高まっていったのだ。

ザックリいえば、**海の風の規則性を発見したことにより、今までパっとしなかったヨーロッパは、歴史を逆転させるチャンスを手に入れた**のである。

歴史の読み方㊳

マッキンダーは、ヨーロッパをユーラシアの「半島」と見なした。緯度が高く寒冷なヨーロッパは、人口も少なく、資源もそれほど豊かではなく、客観的に見ると、長い間、ユーラシア大陸の「辺境」だった。そのヨーロッパに逆転をもたらしたのが、帆船による外洋航海の発達だったのである。

外来の羅針盤が可能にした遠洋航海

イタリア諸都市の航路を地図上に記す海図が、従来の陸地から離れられない沿岸航海を**外洋航海**に変えた。航法の変化を可能にしたのが、中国伝来の「船の位置を正確に把握するための道具」（**羅針盤**）だった。

羅針盤は、一三世紀にイタリア南部の港市アマルフィのジョイアが、磁針を収めるケース（ブッソラ）を発明したことで、実用化が進んだとされる。ナポリ民謡「帰れソレントへ」で有名なソレント半島に続く急な崖に築かれたアマルフィは、強力な海軍を持つ共和国として、ヴェネツィア、ジェノヴァ、ピサなどと覇権を争い、一六世紀まで、「アマルフィ海法」と呼ばれる海運のルールが地中海全域の基準とされた。アマルフィの町の海からの入り口にある小さな広場には、ジョイアの銅像が建てられている。

イタリア諸都市の船乗りたちは、アマルフィで工夫された羅針盤を使って航行し、港の位置と様子を記した「ポルトラーノ」と呼ばれる海図を発達させた。水泳の初心者がプールの縁をおっかなびっくり泳ぐように、陸上の目標物を頼りに航海していた船が、まるで川を航行するように、進む方向を誤らずに大海原を航海できるようになったのは、画期的なことだった。そうした変化がなければ、大航海時代などは、起こりえなかったのである。

2 大西洋の開発はアフリカ西岸から始まった

モロッコに進出したかったエンリケ航海王子

ヨーロッパの海洋化に先鞭をつけたのが、小国ポルトガルだった。しかし、それは壮大な青写真にもとづく探検事業ではなく、イスラーム教徒の支配下にあった穀倉地帯、モロッコの征服戦の失敗が動機となった。

人口一〇〇万余のポルトガルは、内陸部に荒れ地が多いために国土面積の七〜八パーセントしか農業に利用できず、農業地域への領土拡大が必要だった。しかし、陸でポルトガルをとりまくカスティリャは強大な軍事国家であり、侵略などはもってのほかで、政略結婚による現状維持がやっとだった。

そこで一四一五年、ポルトガル王は、エンリケ航海王子などが率いる二〇〇隻の艦隊、陸兵、水兵合わせて五万人を動員して、チョーク・ポイントのジブラルタル海峡の対岸にあるモロッコのセウタを征服したが、維持できず、**セウタに「拠点」を築くこと**がポルトガル王室の宿願になった。エンリケ王子の航海事業の目的も、モロッコの征服にあった。

歴史の読み方㊴

セウタは、ジブラルタル海峡を制するために重要だっただけではなく、サハラ砂漠を縦断して行われた黄金貿易の中継都市でもあった。ポルトガルは、莫大な費用を払って何度もセウタを支配しようとして失敗。

一五七八年には、若い国王セバスチャン一世が国家歳入の半分を費やし、自ら約二万人の軍を率いてモロッコに侵入したものの惨敗し、王以下、貴族の大半が死去した。王位継承者がいなくなったポルトガルを、一五八〇年にスペインが併合している。セウタは一六六八年に正式にスペイン領となり、現在はEUに所属しているが、EUに多数の移民・難民が不法に入る経由地になっている。

国をあげたセウタ占領作戦が挫折した後、**国王ジョアン一世の第三子エンリケ**

航海王子は、当時、アフリカ内陸部に存在すると考えられていたプレスター・ジョンの国（伝説上の強大なキリスト教国）と同盟を結んでモロッコを征服しようとし、さらに、海のルートにより西スーダンのニジェール川流域でムスリム商人が行っていた有利な黄金取引に参入する目的で、アフリカ西岸の探検事業を組織した。一四一五年にアフリカ西岸のカナリア諸島の探検がなされて以来、航海事業は継続的に行われた。探検用に、逆風でも前に進めるイスラーム世界の帆船ダウに学び、ラテン・セール（大三角帆）を備える五〇～二〇〇トン程度のカラベル船が開発された。

当時は、カナリア諸島の二四〇キロメートル南に位置するボジャドール岬が世界の海の果てで、その先では海水が煮えたぎっているとされていた。それが盲信にすぎないことを実証したのが、ジル・エアネスだった。王子の忠臣エアネスは、「ボジャドール岬を越えて航海し、生きて帰った者はいない」というウワサに怖気《おじけ》づいて、一度はカナリア諸島に逃げ帰るが、エンリケに主従関係を断つぞと脅かされ、やけっぱちでボジャドール岬を越えた（一四三四）という。

その結果、探検事業は一挙に進展し、王子が死去する一四六〇年までの間にサハラ砂漠の沖合を通過して西スーダンに達した。黄金貿易、奴隷貿易により、王室は大きな利益を得た。しかし、**この段階では、ポルトガルは依然としてランド・パワーの国であり、モロッコの支配が最大の政治課題だった。**

歴史の読み方㊵

アフリカ内陸部の支配者は、自らを「陸の支配者」、ポルトガル人を「海の覇者」と見なし、ポルトガル人の進出を容認していた。ポルトガル人は優位にある陸の支配者に恭順の意を示すことで、交易ができたのである。またアフリカでは、風土病への免疫を現地人が持ち、ヨーロッパ人は持っていないという、ラテン・アメリカとは真逆の状況があった。そのためにヨーロッパ人は、アフリカ分割（一八八〇年代〜九〇年代）までは、アフリカ沿岸部の一〇パーセントくらいの地域にしか進出できなかった。

大西洋とインド洋をドッキングさせた喜望峰

航海事業は、ポルトガルの「完全王」ジョアン二世の下で、納税を前提に大商人により継続されたが、**プレスター・ジョンの国を発見して同盟を結ぶという政治課題は、そのまま引き継がれた。**

コンゴの奥地にプレスター・ジョンの国があるという情報にもとづいて、二隻の探検船が急遽《きゆうきよ》、派遣された。一四八八年、探検船を率いたバルトロメウ・ディアスは、南下した先で嵐にあって一五日間漂流。アフリカ最南端の岬を発見し、「嵐の岬（カボ・ダス・トルメントーソ）」と命名した。

ジョアン二世は、アフリカの南端を迂回すればインドに行けるという情報をすでに得ており、**胡椒の産地への「入り口」という期待を込めて、「喜望峰（カボ・ダ・ボア・エスペランサ）」と名を改めた。**ランド・パワーからシー・パワーに転換する意気込みを示したのである。

歴史の読み方㊶

アフリカ大陸南端の**喜望峰**は、ヨーロッパから「アジアの海」インド洋に入る際の要地になった。そこで二つの世界が出合い、一体化したのである。ただ、現在のスエズ運河経由の航路と比較すると数千キロメートルも航路が長く、航海日数も数カ月余分にかかった。のちにオランダが喜望峰の周辺に**ケープ植民地**をつくり、食糧補給のために農民を移民させたのは、喜望峰がヨーロッパからあまりに離れていたためである。

3 海の世界を変えた起業家コロンブスの野心

西からジパングに行けるはず

コロンブスは大西洋上のマデイラ島に移住。**地球球体説**を唱えるフィレンツェの**トスカネリ**の海洋地図などを参考に、大西洋を西航してアジアに至る冒険航海の構想を練った。今流にいえば、起業家である。

コロンブスは、マルコ・ポーロの『東方見聞録』のチン海（中国の沿海部）に「黄金の国」ジパングがあるという記述を信じ、ポルトガルの船団よりも早くアジアに到達し、ただ同然のジパングの豊富な黄金を独占することでの一獲千金をねらった。

当時は、ヨーロッパの対岸はアジアと考えられていた。『東方見聞録』には、**中国の沿岸に四〇〇〇余りの島が浮かぶチン海があり、その海の最大の島が膨大で安価な黄金を産出するジパング島**で、クビライは黄金を手に入れるためジパング遠征を試みたものの失敗した、と記されている。

コロンブスは、ポルトガルの航海士バルトロメウ・ディアスによりアフリカの南端の喜望峰が発見され、ポルトガルのアジア到達が確実になるという情報を得ると、自分の起業プランが成功するか否かは、時間との勝負と考えた。自分が先か、ポルトガルが先かである。

そこでコロンブス一族が総出でパトロン探しに乗り出し、ポルトガル王やスペイン王、フランス王に事業計画を必死に売り込んだ。政治優位の時代にあっては、有力なパトロンを得なければ、利権は権力者たちにたちまち奪いとられてしまう。

しかし、ランド・パワー優位の時代でのパトロンの獲得は難しかった。ポルトトガル王室は、喜望峰がすでに発見されているので乗ってこず、イスラーム教徒との戦い（レコンキスタ、七一八〜一四九二）の戦費が負担になっていたスペインも、財政的余裕がなかった。ランド・パワーのフランスも論外だった。

歴史の読み方㊷

コロンブスのパトロンがなかなか見つからなかったということは、当時のヨーロッパ諸国の王が、大西洋の横断貿易に実利を見出していなかったことを意味している。

そうした時に**コロンブスの強力な助っ人になったのが、砂糖売買の商売仲間、改宗ユダヤ人の豪商で、アラゴンの王室財務長官サンタンヘル**だった。スペインのイスラーム教徒との宗教戦争（レコンキスタ）も先が見えており、ユダヤ商人は戦費の貸し付けに代わる新しい儲け先を求めていたのである。イスラーム教徒の最後の拠点グラナダが陥落してレコンキスタが終わった**一四九二年、コロンブスは、カスティリャとアラゴンが合邦したスペインの女王イサベルの援助を獲得した。**

コロンブスの大西洋横断航海

一四九二年八月、コロンブスは旗艦サンタ・マリア号、ピンタ号とニーニャ号の三隻の船を率い、九〇人(一説では一二〇人)の乗組員とともに漁村パロス港から出帆した。コロンブスがサンタ・マリア号を指揮し、船を提供したピンソン兄弟がピンタ号とニーニャ号を指揮した。

サンタ・マリア号には、提督のコロンブスのほかに、船主、航海長、書記、通訳、水夫長、水夫、医師、船大工、塗装係、樽づくり職人、調理人など約四〇人が乗り組んでいた。船の針路は羅針盤で測られ、時間の測定は三〇分用の砂時計が用いられた。

コロンブス艦隊は、ピンタ号の舵の二度の損傷、三日間も続く凪《なぎ》に苦しめられた後、カナリア諸島に到着した。一行は一カ月近く、カナリア諸島に滞在してピンタ号を修理し、ニーニャ号の帆装を大改造するなどした後に、水や食糧を補給して九月六日に出航した。航海に都合のよい風が吹き始めるのを待ったのである。

コロンブスの船団は、北緯二八度の線に沿って真西に航行した。その緯度の延長線上にハーン国とジパングが存在すると考えられていたからである。

船団は、北緯三〇度付近から赤道に向かい、吹き続ける貿易風に乗って順調に航行を続け、九月一六日にサルガッソー海域の北端をかすめて航行した。私も一度だけ航行したが、曇天だったせいもあって、限りなく黄褐色の海草が漂う海域は気分を滅入らせるものがあった。

艦隊は幸運にも、七〇日間の穏やかな航海を続け、対岸の陸地にたどり着いた。一〇月一二日の夜明け前、ピンタ号の水夫が島影を見つけ、朝方にコロンブス船団はバハマ諸島のグァナハニ島（先住民ルカヤン族の呼び名）にたどり着き、「サン・サルバドル島」と命名した。

コロンブスの航海は、神に対する強い信仰心に支えられた。信仰心が未知の壁に立ち向かう勇気を与えたのである。船団では、毎朝の甲板洗いの後と日没時に神への祈りの時間が設けられ、時を計るための三〇分周期の砂時計が反転される際にも賛美歌が歌われた。コロンブス船団で行われた、早朝に甲板を洗い流す習慣は「ターン・ツー」と呼ばれ、現在に引き継がれていると、神戸商船大学名誉教授の杉浦昭典氏は述べられている。

カリブ海に「ジパング」があった？

コロンブスは、やっとのことで「ジパングのあるチン海（中国の海）」にたどり着いたと判断して小躍りした。彼の地理的知識は独学であるために歪みがあり、地球の現実とは違っていたのだが、考えてみれば当時の学者たちの地球認識そのものが、机上の空論にすぎなかったのである。コロンブスの独断的な思い込みを、誰も非難はできないのだ。

コロンブスの船団は、やがてカリブ海最大の島コルバ（現在のキューバ）に到達したが、コロンブスは長い海岸線を目にすると、ハーンが支配するカタイ（中国）に違いないと直感で決めつけてしまった。キューバ島の北岸を南東に航海すると、小さな島が散在する海域に入った。コロンブスは、それがマルコ・ポーロが記した、中国の沖合に広がる四〇〇〇の島々の一部に違いない、と判断した。

やがてコロンブスは、その海域でもっとも大きな島（現地の人々が「ボイオ」と呼んだ）に到達すると、「エスパニョーラ（スペインの島）」と命名して、スペイン国王の領地とした。その島でコロンブスは待ちに待った情報を耳にする。

黄金の装身具を身につけた首長が、島の中央部に「シバオ」と呼ばれる金鉱があり、大量の金が産出されると述べたのである。といっても、言葉が通じないわけだから、**「シバオ」こそが夢に見た「ジパング」に違い**ないというのはコロンブスの独り合点だった。思い込みというのは、恐ろしいものである。

しかし、この誤認が世界史を変えたのである。未知の大陸と紹介されれば、ヨーロッパ人の進出はずっと違ったものになったはずである。

歴史の読み方㊸

コロンブスがカリブ海に「ジパング」を発見したというニュースは、ユーラシアの東のはずれが大西洋の先に存在するということになり、ユーラシア中心の世界観を革新するものであった。アジア熱が、大西洋に航路を拓く原動力になった。それが「新大陸」ということになると、熱の入りようが全く違ってしまう。「ジパング」の誤認には、大きな意味があったのである。

陸の発想で海の世界を分割したスペイン

コロンブスの航海により衝撃を受けたのが、ポルトガルだった。それ以前の教皇の教書でアジア貿易の権利を手にしていたポルトガルは、武力に訴えてでも、スペインの西からのアジア航海を阻止しようとする。そのため、両国の間の緊張が激化した。

一四九三年、スペイン王は自国出身のローマ教皇アレクサンデル六世の裁定を得て、自国が有利になるように、アゾレス諸島とヴェルデ諸島の西一〇〇レグア（当時、一レグアは約五・九キロメートル）の「**教皇子午線**」を設定し、ポルトガルとの間の境界を一方的に定めてしまう。

つまり、陸の国境にあたるような両国の境界線を設け、大西洋を東・西に分割したのである。しかし、ポルトガルが提案していた、両国の勢力圏を「南・北」に分けるという案は退けられた。この時期は、まだヴァスコ・ダ・ガマの航海は行われておらず、ポルトガルがアジア航路を開けるかどうかは不確定であり、スペインが絶対優位に立ったのである。

もともと内陸の大国だったスペインが国益を守るために、ランド・パワーのやり方で、世界の「海」を陸の世界のように分割してしまったのだ。

ポルトガルが不満を持ったのは当然だった。**一四九四年、両国の交渉の結果、トルデシリャス条約が結ばれ、ヴェルデ諸島の西三七〇レグア（約二一八三キロメートル）の子午線（西経四六度三七分）の東をポルトガル領、西をスペイン領と認め合うことになった。**ブラジルが、ポルトガル領として取り戻されたのである。

フランスのフランソワ一世や、イギリスのエリザベス一世は、当然のことながらこうした一方的な宣言に厳重に抗議した。

一五八〇年、ポルトガルの王がモロッコでの戦いで死亡し、ポルトガル王室がスペインに統合されると、**世界の海はすべてスペインの領土ということになってしまった。そこで一七世紀以降、「公海」における航行の自由を主張するオランダ、イギリスは、実際の行動によりスペインの海の独占支配を打ち破らなければならなくなった。**

4 天然痘パンデミックがもたらしたスペインの新大陸支配

六〇〇人のスペイン人にアステカ帝国を滅ぼせるはずがない

新大陸では、カリブ海からヨーロッパとは気候が違う亜熱帯、熱帯へと開発が進められた。経済的価値が高かったからである。やがて、アステカ帝国、インカ帝国という山岳帝国が発見され、征服されていく。

マクニールは、通説になっている六〇〇人のスペイン人がアステカ帝国を滅ぼしたという話に疑問を抱き、『疫病と世界史』という大著の執筆を思い立ったという。遠征は、寄せ集めの私的な遠征隊で、アステカ、インカを征服したコンキスタドール（スペイン語で「征服者」の意味）の兵力は、驚くほど少ない。アステカ帝国を征服したコルテス（一四八五～一五四七）が率いたのは約六〇〇人、インカ帝国を征服したピサロ（一四七八頃～一五四一）が率いたのは約一八〇人とされる。

当時のスペインの戦闘法は白兵戦であり、銃の一斉射撃などは行われなかったのだから、鉄砲が威力を発揮したとは言いがたい。やはり、ジャレド・ダイアモンドが、『銃・病原菌・鉄』で指摘し、マクニールが述べているように、ここでも疫病が決定的な役割を果たしたのである。

スペイン人が持ち込んだ、空気感染で伝染力が強く、死亡率が高い天然痘のパンデミックがインディオ社会を崩壊させたのである。コンキスタドールたちは、疫病の大流行による社会の大混乱を利用して土地を接収し、先住民の奴隷化を進めたのである。

まず、コルテスのアステカ帝国征服から見ていく。遠征の背景には、カリブ海でのパンデミックによる労働人口の減少があった。コルテスは一五一九年に約六〇〇人の兵士、一六頭の馬、約五〇丁の銃を持ってユカタン半島に上陸。そこで、アステカ帝国の存在を知る。

コルテス軍がアステカ帝国の首都テノチティトランに着くと、**天然痘の大流行で帝国の崩壊が進んでいた**。コルテスはアステカ族に反感を持つ周辺部族を集めて約七万人の軍勢を組織し、アステカ帝国を倒してしまう。

一六世紀初頭に約二五〇〇万人と推定されていたアステカ帝国の人口は、パンデミックで一五五〇年には約六〇〇万人にまで激減している。恐れおののいたアステカ人は、スペイン人が死なないのは信仰する神が強力なためだろうと考え、多くがキリスト教に改宗していった。

その後、パナマの地峡地帯でインカ帝国の存在を知ったピサロは、約一八〇人の兵士、二七頭の馬を率いてペルーに上陸。ピサロは、二人のインカ（王）が対立しているのを知ると、助力と見せかけて巧みにインカの一人、アタワルパを捕らえ、帝国を滅ぼしてしまった。ペルーでも天然痘のパンデミックは激烈で、約九〇〇万人いたインディオが一五七〇年には約一三〇万人にまで激減してしまう。

歴史の読み方㊹

コロンブスもコルテスもピサロも、個人的な利益のために動くコンキスタドール（征服者）だった。スペイン国王は、コンキスタドールを利用して、国王の土地所有権と住民の教会への帰属を実現させた。ただ、エンコミエンダ（インディオのキリスト教徒化と保護を条件に統治を委託する制度）により、コンキスタドールとその仲間に対し、一定期間の支配権を与えたのである。

ユーラシアに流れ込んだ新大陸の銀

一六世紀になると、スペインの植民地支配の重点はカリブ海から大陸部に移った。メキシコ、ペルーの銀山で大量の安価な銀が掘り出され、巨大な銀船でスペインの港セヴィーリアの通商院（一五〇三年創設）とフィリピンのマニラに送られ、そこからヨーロッパとアジア各地に転送される時代に移る。

一五四五年に発見されたペルーのポトシ銀山（現在はボリビアに属す）は、世界最大の銀山となり、その町が富士山より高地に建設されたにもかかわらず、一七世紀には西半球最大の都市に成長した。また、メキシコでもサカテカス銀山が開発され、一六世紀後半から一七世紀にかけて莫大な銀が掘り出された。

大西洋、カリブ海、太平洋は銀の輸送で活気づき、新大陸の膨大な銀が世界経済を一つにつないでいく。ヨーロッパでは銀が、一六世紀半ばから一〇〇年間続くスペインの「黄金時代」の財政基盤になった。

それまで南ドイツで産出される銀が年に約三〇トンだったのに対し、一六世紀後半に新大陸からスペインに流入した銀は、二〇〇トンを超えた。旧インカ帝国の強制労働制度を利用して掘り出された銀は、年間約一〇〇隻のスペイン船によってヨーロッパに運ばれ、一〇〇年間に物価が三倍以上に上昇する「**価格革命**」を引き起こした。

一六世紀後半から一七世紀前半のヨーロッパでは、カトリックのスペインと新教諸国の間で激しい宗教戦争が展開されており、それは天然痘の流行で先住民が激減したカリブ海にも波及した。

イギリス人、オランダ人などは、カリブ海域にスペイン人が持ち込んで野性化した家畜から干し肉をつくって生活し、スペインの銀船を襲う海賊になった。それがジャマイカのポート・ロイヤルなどを拠点とする「**バッカニア**」(カリビアン・パイレーツ)である。彼らは、ヨーロッパの海賊船、私掠船(Privatier)などとネットワークを組み、「宗教対立」を口実にスペインの銀を横取りした。一種の海の軍事ビジネスだったのである。

そこでスペインは対抗策として、港を要塞化し、銀を守るためにガレオン船という大型船による護送船団方式を導入した。一六世紀中頃以降になると、スペインは五〇〇～六〇〇トンの大型船を用いるようになり、時には一〇〇〇トン以上のガレオン船も登場した。

スペインのセヴィーリアとメキシコのベラクルス、南アメリカのカルタヘナを結ぶ航路が、大型武装商船による銀の輸送ルートになったのである。

「コロンブスの交換」は「ヨーロッパ・ファーストの交換」

新大陸の植物は、生態系を変えるような規模でヨーロッパ、アフリカ、アジアに送られ、社会そのものまで変えてしまうことになる。

そうした新旧両大陸間の植物・動物の移動現象を、アメリカの生態学的歴史学者アルフレッド・クロスビーは「コロンブスの交換」と称した。それに対して、日本の農学者、民族学者の山本紀夫氏は「コロンブスの不平等交換」と断じている。ヨーロッパ人が担った交換なので、実態は不平等交換だった。

新大陸からユーラシアには、トウモロコシ、ジャガイモ、サツマイモ、キャッサバ、カボチャ、トマト、トウガラシ、落花生、いんげん豆、カカオ、ヒマワリ、バニラ、タバコ、麻酔薬コカインの原料のコカ、マラリアの特効薬となるキニーネ、ガムの原料のチクルなどの多様な農作物が、ヨーロッパのみではなくアフリカ、アジアなどの広大な地域に伝えられた。

なかでも、一五七〇年頃に**スペイン人によりインカ帝国からもたらされたジャガイモ**は、寒冷地の北ヨーロッパの「食」を一挙に改善した。アンデス山脈の高度四〇〇〇メートルの高地で栽培されるジャガイモは、北ヨーロッパの気候に順応し、収穫量の多さで北ヨーロッパ社会に活力を与えた。イギリスの経済学者アダム・スミスも『国富論』で、同じ面積の畑でジャガイモは小麦の三倍の収穫量がある、と記している。

ヨーロッパでは、一五五〇年頃から一八五〇年頃まで「小氷期」という厳しい寒期が続き、凶作が繰り返されたが、その時に寒さに強いジャガイモが「貧者のパン」として庶民を救ったのである。

アジアでも、**アステカ帝国のサツマイモ**が、フィリピンから中国の福建に伝えられて飢饉を救い、さらに琉球、薩摩から日本全土に広まった。アフリカには、キャッサバという芋が伝えられ主食になる。日本で一時大流行したタピオカは、キャッサバからつくるデンプンであり、太平洋戦争の際に、前線の兵士はタピオカで空腹を満たしたといわれる。

新大陸には、ユーラシアのムギ、コメ、サトウキビ、インディゴ、綿花、ウマ、ウシ、ヒツジなどが持ち込まれたが、いずれもプランテーションで大規模生産が行われ、**ヨーロッパで消費された**。

歴史の読み方㊺

クロスビーは、一四九二年以降続いた東半球と西半球の植物、動物、食物、人口の交換で、二つの異なる世界が均一化した現象を、コロンブスのアメリカ大陸到達でイメージ化し、「コロンブスの交換」と呼んだ。確かに、アメリカ大陸が加わることで、世界は全く姿を変えてしまった。

第七章

海の帝国ポルトガルとオランダ東インド会社

インド洋の海洋帝国とオランダ東インド会社

1 第二の海洋帝国ポルトガル

ヴァスコ・ダ・ガマの航海の意義

ポルトガルは、喜望峰でつながる大西洋とアジア（インド洋、南シナ海、東シナ海）にまたがる海洋帝国になった。インドへの航路を拓いた、**ヴァスコ・ダ・ガマ**の航海の意義は大きい。

ガマの船団は、四隻の艦船、約一七〇人（一四七人ともいわれる）の乗組員からなる小規模な船団だった。アフリカ南端部の荒れる海域（「吠える四〇度」）を航海する際にはなるべく陸地から離れて航行し、一定方向に風が吹く海域に入ったら帆に強風を受けて一挙に北上するのが得策であることはすでに知られていた。

ガマの目的は、スペインより早くインド西岸の中心港カリカットに入港することだった。王マヌエル一世は、アフリカ内陸部にあると信じられていた大キリスト教国の「プレスター・ジョンの国」の王とインドの胡椒積み出し港カリカットの王に宛てた親書をガマに託している。ガマ船団は、三カ月余りの難航海で喜望峰に直航。そこで食糧船を焼却して身軽になると、六日間で喜望峰を迂回。アフリカ東岸をムスリム勢力の妨害を受けながら北上して、ケニアのマリンディの港に入った。

そこで艦隊はムスリムのイブン・マージドを水先案内人《パイロット》として雇い、その案内により、一四九八年五月二〇日にカリカットに入港した。エンリケ航海王子が探検事業を開始してから、すでに約八〇年の歳月が過ぎていた。

ガマの一行がカリカットの支配者にもたらした贈り物は、帯一二枚、緋色の頭巾《ずきん》四枚、帽子六個、珊瑚の数珠四連、鉢に入れた包み六個、砂糖一箱、油二樽、蜂蜜二樽というように、インド洋海域のもっとも貧しい商船が運ぶよりも粗末な品物であった。当時の**ポルトガルとインド洋の交易圏には、大きな経済格差があったのである。**

贈り物があまりにも粗末だったことから、ガマの一行は国王の使節団とは認められず、カリカットでの貿易は拒絶された。ガマ船団は南のコチン港でやっとのことで胡椒を買い入れ、インド洋の横断に約三カ月もの時間をかけた末にようやく帰国した。あいにくモンスーンが逆風となる時期であり、インド洋上を迷走したのである。帰路に、三〇人の乗組員が壊血病で命を落とした。

ヴァスコ・ダ・ガマの航海は二年二カ月の日数をかけ、一〇〇人以上の人命が犠牲になる苛酷なものであった。コロンブスの航海とは比較にならない厳しい航海だったのである。

しかし、ガマ船団は、オスマン帝国が支配する海域を避け、直接インドに行くルートの開拓に成功した。船団がカリカットから運んで来た胡椒は、約六〇倍もの利益を王室にもたらした。

ポルトガル王に仕えたドイツ人の地理学者マルティン・ベハイムは、中世末期にインドからヨーロッパに胡椒が運ばれるまでに一二人の商人の手を経ることで、胡椒は銀と等しい高価な商品になった、と述べている。

小国ポルトガルが「インド洋のフェニキア」になれた理由

胡椒貿易の大きな利益に歓喜したマヌエル一世は、「エチオピア、アラビア、ペルシア、インドにおける征服、航海、通商の王」と自称。**ポルトガル王が、大砲で武装した艦隊によりインド洋を支配下に置くこと、インド洋貿易を王室事業とすることを宣言した。ポルトガルのシー・パワーの国への転換宣言だった。**ポルトガルには、エンリケ航海王子のアフリカ西岸探検の蓄積があり、海洋国家に転換するための地理的条件が整っていたことで、シー・パワーへの転換が可能になったのである。

しかし、ポルトガルが進出を目指したインド洋周辺は、アッバース朝の下で広域の分業体制ができあがっており、ポルトガルが入り込む余地はなかった。ただ、ヨーロッパでは、**大砲、銃などによる「軍事革命」**が進んでいた。ポルトガルは、船に積んだ小型砲の威力により進出を果たしたのである。

ジェイソン・C・シャーマンの『〈弱者〉の帝国』は、こう述べている。

> 近世のアフリカとアジアでは、ヨーロッパ人の存在感《プレゼンス》は圧倒的に海洋におけるものであり、重要港やシーレーンを通じた海洋交易の軍事的支配を重視していた。対照的に、非常に強大な現地政体は概して海に関心を払っておら

ず、陸と人の支配に関心を向けていた。この海洋と陸地という相補的な選択の一致が、「陸の支配者」と「海の覇者」の粗削りな共存を可能にしたのである。

インド洋は、アジアの多様な商人がつくりあげた平和な「交易の海」であり、船も小型で大砲を積めないダウだったために、舷側に大砲を据え付けたポルトガル船には手も足も出なかったのである。

ヨーロッパでは、一四世紀後半に大砲が急速に普及した。一五世紀になると、戦争が大規模化し、大砲の鋳造はニュルンベルク、リヨン、アントウェルペン（アントワープ）などで盛んに行われた。

一六世紀になると、小型で機動性に富む船舶用の大砲も出回った。大砲で武装した船をアジアに派遣する必要に迫られたポルトガルは、大砲の主たる購入先となり、ドイツとフランドルでつくられた大砲の大部分がポルトガルに運ばれたといわれる。ポルトガルが、西アフリカで手に入れた金《きん》、アジア各地で手に入れた香辛料が、アントウェルペンでの大量の大砲の購入に費やされたのである。

歴史の読み方㊻

各地での宗教戦争、オランダ独立戦争（一五六八〜一六四八）が激化した一六世紀末から一七世紀初頭には、ヨーロッパ内部での大砲の需要が大幅に増加した。大砲の価格の高騰で、ポルトガルはインド洋海域を武装艦隊で支配することが次第に困難になった。弱小国のポルトガルが、インドのゴア、マラッカ海峡のマラッカなどの「拠点」を確保し、「アジアの海」に急速に進出できたのは、一六世紀にヨーロッパで広まった**軍事革命**の成果を海の世界で活用したためだったのである。海の世界では軍艦の舷側砲の発達が著しかった。ポルトガルが船に装備できる小型の大砲でシーレーン（海上交通路）を急速に拡大したのに対し、アジアの遊牧帝国は陸の支配に専念していた。ランド・パワーは、シー・パワーの進出に対して無関心だったのである。

戦略的な商館・砦の建設

ポルトガルの大砲によるインド洋支配を進めたのが、初代副王のフランシスコ・デ・アルメイダだった。アルメイダは、一五〇五年に三〇隻の船団を率いてインドに三年間駐留。①ポルトガルの交易船の保護、②ダウに「**カルタス**」という交易保護証を購入させること、で海洋支配の体制を整えた。

アルメイダは大砲を重視。大砲で武装した船こそが、ポルトガルの力の源泉と考えていた。陸上の戦いでは弱者のポルトガル軍が、海の上では無敵になれるとしたのである。彼は国王に対し、陸上にどんなに堅固な砦をつくっても、ランド・パワーの大国にはかなわない、と進言している。

そうした戦略を改め、インド洋に「海洋帝国」を建設したのが、第二代インド総督(副王)、アフォンソ・デ・アルブケルケだった。彼は、古代に「海洋帝国」をつくったフェニキアを引き継ぎ、ヴェネツィア、ジェノヴァ方式の「**商館**」**を武装商船**で結び付ける「海洋帝国」の建設を主張する。

アルブケルケは、一五一〇年にイスラーム側へのアラブ馬の交易を監視していたヒンドゥ教徒側のインド海賊の勧めに従い、インド西岸の**ゴア島**を奪い、最初の「拠点」を築いた。ゴアは「**黄金のゴア**」と呼ばれるほど栄え、ヨーロッパで消費される胡椒の七割、丁子などの高価な香料の積み出し港になった。

一五一一年には、港を支配する王と商人たちの抗争を利用して、ポルトガルは一五倍の兵力を持つ**マラッカ王国を征服**。**アジア最大のチョーク・ポイント**のマラッカ海峡を支配下に置いた。

ポルトガル人の商人トメ・ピレスは、「マラッカの支配者となる者はヴェネツィアの喉に手をかけることになる」と指摘している。マラッカを占領した後、ポルトガル商人はモルッカ諸島に進出して、丁子、ナツメグなどの高価な香料を独占。タイとの交易を促進するためにアユタヤにも進出した。

歴史の読み方㊼

ポルトガルは国の規模が小さく、王の権限も弱かったため、海洋国であるという地政学上の優位を国の強大化には十分つなげられなかった。それを支えたのが、次々とアジアに移住した民間の商人だった。彼らは現地の商人、金貸しなどと手を組んで海のネットワークを拡大した。ポルトガル海洋帝国は、古代のカルタゴ帝国と同様に商人が築いたネットワークの上に乗っかったのである。

ポルトガルの海洋帝国は、世界史で初めて、アメリカ大陸（ブラジル）、アフリカ、アジアに中継拠点、交易拠点、植民地を設け、それらを商人たちが互いに結び付けていったことに特色がある。

ポルトガルは、広大な**ブラジル**、アフリカ西海岸の奴隷貿易の拠点のほかに、**喜望峰**、東アフリカの**モザンビーク**、ペルシア湾のチョーク・ポイントを抑える**ホルムズ**、綿布の主産地のインドの**カンバヤ**、インド西岸の**ゴア**（造船所も設置）、南シナ海に通じるマラッカ海峡を抑える**マラッカ**、明の物産を集める**マカオ**、銀産国、日本の**長崎**を結ぶ**アジア貿易の大ネットワーク**を築く。

ポルトガル人は風の関係で、アジアに出向く際に、ブラジルを中継地として利用。一七世紀の後半以降、ブラジルで生産される砂糖、タバコを、ゴアやマラッカで売るために、アジアからブラジルへの商船の派遣も行った。

しかし、人口が約一四〇万人にすぎない弱小国のポルトガルが、遠く離れたアジアの多くの港に要員を配置し、多数の艦船を配備してネットワークを維持するのは難しく、王の支配が後退。民間商人が活動の中心になった。

国内に輸出する特別な商品を持たないポルトガルは、香辛料などをヨーロッパ市場で売って銀を購入し、それでアジアの物品を購入するという**中継貿易が商業の基本型**になった。現地の事情をよく知っているポルトガル商人が、現地人と結んで地域間の交易を組織していったのである。

そのために、スペインが新大陸の安い銀を直接、東アジアにもたらすようになると、スペインの銀を利用することで回っていたポルトガルの交易は困難な状況になった。**ポルトガル海洋帝国は、一九世紀にイギリスに引き継がれてゆく。**

歴史の読み方㊽

日本では、カステラ、テンプラ、ビスケット、ビードロ、カルタ、カッパ（合羽）、パン、オルガン、タバコ、コンペイトウ、オンブ、イギリス、オランダなどがポルトガル語由来の単語として定着。またポルトガルでは、日本語の「ありがとう」がポルトガル語の「オブリガード」に由来すると考えられている。ポルトガル海洋帝国が日本に与えた影響は大きい。

ポルトガル王室が独占したアジア貿易は、当時のヨーロッパの香辛料の購買力が低かったことから輸送量が少なく、アジアへの派遣船数も低く抑えられた。そのためもあって、大航海時代を主導したことで得られたアフリカ西岸、東岸、ブラジル、インドのゴア、マラッカ海峡のマラッカ、イエズス会領の長崎などの大ネットワークは民間商人に委ねられ、多くのヨーロッパ文明が日本にもたらされたのである。アジアのポルトガルの領土がオランダ、イギリスに奪われた後も、ポルトガル商人のネットワークは生き続けた。

ザビエルが属したイエズス会は、ポルトガル王室の財政支援を受けていた関係で、ポルトガル商人との関係が深かった。**イエズス会は、一五八〇年から一五八七年までの間、長崎を領有**している。

2 北海からのオランダの勃興

「ヨーロッパ貿易の半分」の支配

一四七七年にハプスブルク家領となったネーデルランド（現在のベルギー、オランダ、ルクセンブルクとフランス北東部を含む地域。「低地地方」の意）は、南部（ベルギー）の毛織物工業、北部（オランダ）の北海のニシン漁業、商業で栄えていた。とくに「オランダの海の金鉱」ともいわれた北海のニシン漁や北極海の捕鯨は、経済発展の原動力となり、造船業と海運の成長、バルト海交易での覇権を確立する際の基盤になった。

一五五六年に、常日頃、「異端者に君臨するくらいなら、命を百度失うほうがよい」とまで言っていたフェリペ二世がスペイン王になると、カルヴァン派新教徒の弾圧、スペイン軍の駐留と略奪、重税の課税がなされ、八〇年間にわたって断続的に続くオランダ独立戦争が始まった。

そうしたなかで、イギリスの二倍の船舶を持つオランダは数時間で、イギリス、フランスの諸港、数日間で北欧、スペイン、ポルトガルに航行できるという地政学上の優位を生かして、海の経済を成長させていく。

一五六六年にルネサンス期のフィレンツェの歴史家グッチャルディーニ（一四八三～一五四〇）はネーデルランド（オランダ・ベルギー）について、「漁場と航海は、ネーデルランド人にとって都合のよい環境にある。北ネーデルランドは、西ヨーロッパの港だけでなく、同時にドイツ、リヴォルノ、ノルウェー、さらにバルト海の港でもある。この国ではぶどう園はないがぶどう酒が飲まれており、亜麻はないが亜麻布は豊富にある。羊毛はないのに非常に多くの毛織物をつくり、木材がないのにおそらくヨーロッパ中の全住民よりも多くの船を造っている」と、海運により他国の経済を活用して栄えたネーデルランドの活動を讃えている。

ただ、オランダ人は束縛を嫌ったために兵士が集まらず、海軍は惰弱《だじゃく》だった。そこで、戦時には商船を雇って大砲を搭載し、にわかづくりの軍艦にすることも多かった。海賊の国をシー・パワーの国に成長させた好戦的なイギリスとはだいぶ違ったのである。

歴史の読み方㊾

海の経済にとり、漁業は重要だった。とくに陸の資源が乏しいオランダでは、ニシン漁や捕鯨業により海洋資源の利用を進めた。オランダ人は、スカンジナビア半島の北にホッキョククジラの大きな漁場があることを知ると、鯨油を求めて進出。イギリスの捕鯨船と激しく争った。両国の船で実際に働いたのは捕鯨に熟達したバスク人だった。

一七世紀後半には、二〇〇〜三〇〇隻の船が一〇〇〇頭くらいのホッキョククジラを捕獲し、オランダがヨーロッパの鯨油市場を独占。アジアでの香辛料貿易を上回る利益を上げる。

オランダの捕鯨業は、一八世紀にはアメリカに引き継がれた。それ以上に大きくオランダ経済に貢献したのは、かつてのハンザ同盟の主力商品だった「ニシンの塩漬け」業の継承だった。

リューベックを引き継いだアムステルダムのニシンの塩漬け

オランダのアムステルダムを繁栄に導いたのは、（ニシンが得られなくなった）リューベックの後を引き継いだ塩漬けニシンの販売だった。バルト海の浅瀬に産卵のために押し寄せていたニシンが突然姿を消したのである。そこで、オランダ人が北海の沖合で流し網により捕獲、船上でニシンの塩漬けに加工するようになる。

オランダは、常時、六〇〇〜八〇〇隻のニシン漁船を出し、北海の沖合漁業を制した。船は五〜八週間も漁を続け、船上で塩漬けニシンの樽詰めが行われた。イギリスが羊毛、毛織物を輸出して獲得する金額と同程度の収入を、アムステルダムはニシン漁で得ていたとされる。

一六二〇年当時に、オランダには二〇〇〇隻の漁船があったが、その大部分は七〇トンから一〇〇トン程度のニシン漁船だった。一隻当たり一五人くらいが乗り込んだので、約二万人の漁業従事者がいたのではないかと推定されている。ニシン漁とそれに関連する事業に従事した者は、四五万人にも上った。

キリスト教では、イエスの苦難の生活をしのぶために、復活祭の前の「四旬節」

の肉食が禁じられており、その時期には**ニシンの塩漬け**がヨーロッパ全土で食べられた。膨大なニシン需要が、オランダの経済を発展させたのである。

荒れる北海でのニシン漁は漁船を損傷させるため、造船業が盛んになった。風力製材機、重い材木を動かすクレーンの使用など、機械化・標準化が進み、オランダは、ヨーロッパでもずば抜けた造船能力を持つに至った。造船コストは、イギリスなどの半分程度だったとされる。そうした造船能力を生かしてつくられた大量の商船で、オランダは、北海、バルト海の交易を制覇していく。海運業の成長は、航海用具の製造、ロープの製造、海図《チャート》の出版など、関連産業の発達を促した。

海上貿易に欠かせない大砲も、最初はオランダでは製造できず、イギリスの鋳造砲の輸入に頼っていた。一七世紀になると、ユトレヒト、アムステルダムなどの主要都市で安価な鉄製の大砲が大量に鋳造されるようになり、オランダの海上進出を支えた。

すでに一六二二年の段階で、オランダ住民の六〇パーセントが都市に居住しており（そのうちの四分の三が人口一万人以上の都市）、海との結び付きが強いオランダはヨーロッパの特殊地域に成長したのである。

国に代わりアジアに進出したオランダ東インド会社

過当競争が進むと、アジアに船を出す諸都市は合併により利益の確保を図らざるをえなくなった。一六〇二年には連合東インド会社が設立されて、喜望峰からマゼラン海峡に至る広大な地域の貿易、植民、軍事の独占権が与えられることになる。

オランダ東インド会社は、**ホラント州の政治家オルデンバルネフェルトの提案で各都市の商人が資本を出し合うことで成立した世界初の株式会社**で、六五〇万フローリン（このうちアムステルダムが三七〇万フローリン）の資本で発足した。出資者が有限責任の株主になったのは、船や航海技術が未熟で、海難事故が多発したためだった。出資者の破産を防いだのである。

多くの特権を与えられた東インド会社は、海の上のオランダであった。東インド会社は卓越した海運力によりポルトガル（当時はスペイン王がポルトガル王を兼ねる）からアジア貿易の主導権を奪い取り、ジャワ、スマトラ、モルッカ（香料）諸島、マラッカ、セイロン島に拠点を設ける。
一六一九年になると、ジャワ島の**バタヴィア**（現在のジャカルタ）に総督府を設け、香料諸島、セレベス島、スンダ諸島、マラッカ、シャム（タイ王国の旧名）、セイロン島、インド東岸・西岸に支店を置いて、丁子、ナツメグ、ニッケイなどの香料貿易を独占した。ポルトガルが担ってきたアジアの物産のヨーロッパへの輸送を、オランダが代わって引き受けることになったのである。

そうしたことで、会社は巨大な利益を上げた。三・五パーセントの利子の支払いが約束されていた株式の配当率が、一六〇六年になると七五パーセントに達したほどだった。当時は海難事故が当たり前だったために、海の事業は一航海ごとに解散し、利益が分配される方式（イギリス東インド会社の方式）がむしろ一般的だった。

しかし、**連邦制をとっているオランダでは、造船、軍事、植民地支配などを会社が肩代わりせざるをえず、永続的な会社組織が必要になった。**そこで、出資金が棄損される可能性が高い株主に対して高い配当を出したのである。

一六二一年に設立された西インド会社は、アメリカ大陸の貿易を独占した。北アメリカでは、ハドソン湾に名を残す**ハドソン**（一五五〇頃〜一六一一）が探検していたデラウェア以北の北東部を領有し、ハドソン川河口のマンハッタン島に**ニューアムステルダム**（のちのニューヨーク）を拠点として建設。ブラジルやギアナにも植民地を築き、サトウキビの栽培、奴隷貿易を開始した。

いくら多くの船があっても勇敢な船乗りがいなければ、大海《オーシャン》に航路を切り開くことはできない。人生を神が人間に課す試練と考え、荒海の航海にたとえたカルヴァン派の信仰が、厳しい航海に怯《ひる》まない強靱な精神力を持った船乗りを生み出したのである。

「公海」を主張してポルトガルに対抗

海運国として興隆期を迎えたオランダにとり、ローマ教皇の権威を背景にして、大西洋を陸地と同様にスペインとポルトガルが分割・支配するトルデシリャス条約（一四九四）と、太平洋を分割するサラゴサ条約（一五二九）で世界の海を囲い込んでしまうことはとても容認できなかった。

そこでオランダは、国の領土の一部である「領海」と、どの国にも属さず、どの国の船でも自由に航行できる「公海」の区別がローマ法で認められている、と主張した。そうしたなかで、**「海洋の自由」を論理的に説明したのが、オランダの法学者、外交官のフーゴー・グロティウスだった。**彼は、一六〇九年に『**海洋自由論**』を発刊。次のように公海の原則を明らかにした。

①海洋は流動的で境界を確定できず、法律行為の対象にならない「万民の共有物」である。

②海洋は交通手段であり、他者に害を与えずに利用することが可能であり、分割せずに共有するのが適当である。

③国際的な通商・交通・交換の自由は、国家の自然権である。

歴史の読み方㊿

オランダは「公海」「海洋の航行自由の原則」の考え方で、ランド・パワーのスペインがポルトガルを誘ってカトリック二大国が世界の海洋を二分し、独占的に支配するやり方を批判した。それに対して、イギリスのジョン・セルデンは『閉鎖海論』で、「すべての人が海を自由に利用すれば、海洋から得られる利益が減少する」「海は陸と同じ青い領土であり、一人の支配者が支配できる」と説いた。

一八世紀になると、領海は大砲の射程内とする主張が支持を強め、領海を当時の最新鋭の大砲の着弾距離の三海里（一海里は約一・八五キロメートル）とすることが国際ルールになった。このルールは原則的に現在に引き継がれ、一九八二年に採択された国連海洋法条約（海洋法に関する国際連合条約）では領海が一二海里とされ、上空、海底、海底の下にまで広げられた。これと同じことが、現在蒸し返されている。「海上領土」を掲げて南シナ海、東シナ海を囲い込もうとする中国は、かつての「青い領土」と同じような主張を繰り広げている。

グロティウスの「公海」の主張は各国の共感を得て、一七世紀の終わりには、世界の海は、領海（自国沿岸の閉鎖海域。岸から三海里〈五五五六メートル〉）と公海（自由海域）に分けられることになった。国際商業の拡大にとって公海の維持はきわめて大切であったので、先に述べたように、「領海」の幅を大砲の着弾距離に制限するという考え方が広く支持されて国際慣行になったのである。

ジャワ島に「拠点」を築く

偏西風の吹き荒れる海でニシン漁を行っていたオランダ人は、海の世界の猛者だった。**オランダ船は、喜望峰にまで直航し、そこから「吠える四〇度」といわれる荒れる偏西風海域を突っ切って、ジャワ島に直行するルートを開発した。**それはポルトガル船が、荒れる海域を避けてモザンビーク海峡に向けて北上したのとは違っていた。

一六〇九年、オランダは、当時、ポルトガルを併合していたスペインから、インド、東南アジアでの自由貿易の権利を獲得。一六一九年、オランダ東インド会社の総督クーンは、チリウン川河口のジャカトラ（現在のジャカルタ）地方を租借して、「拠点」バタヴィア城（オランダ語では「バタフィア」）を建設。その後、丁子、肉《ニク》荳蔲《ズク》という貴重な香料を産出するモルッカ諸島（香料諸島）に進出。同年、モルッカ諸島における香料貿易の割合をオランダが三分の二、イギリスが三分の一と分け合う協定を結んだ。

一六二三年、モルッカ諸島の丁子、ナツメグの産地のアンボン島で起こったアンボン事件で、オランダ東インド会社がイギリス人商館員一〇人と日本人傭兵九人を殺害。イギリス勢力を排除して香料貿易を独占することになった。さらに、オランダは、台湾海峡を抑えて対日貿易も独占した。

その後、一六二七年には、ベンガルに商館を築いてインド貿易に参入。一六四一年には、マラッカ海峡の要衝マラッカをポルトガルから奪った。一六五二年、ポルトガルから喜望峰を奪い、アジア貿易の中継拠点としてケープ植民地を開いた。アフリカを迂回して、台湾海峡を経由し、日本に至る貿易ルートを築き上げたのである。

ただ、**オランダが進出した地域は限定的であり、海洋帝国というほどではなかった。**

第八章

活性化する東アジアの海

東アジアの大交易時代と明の密貿易商人の活躍

1 銀ラッシュが育てた明の密貿易

琉球の大交易時代から明商人の密貿易時代へ

明の拡張主義者の第三代皇帝、永楽帝の死により、先に述べた鄭和のインド洋への大規模な航海が終わる。その後、明は海洋国家の琉球に特権を与えて東南アジア貿易を代行させた。

不要になった鄭和艦隊の船を無償で払い下げ、船の操縦、通商などにあたる福建人を移住させた。同時に、琉球を勘合貿易の外に置き、勘合符なしに貿易できる特権を与え、東南アジアからの薬材、香辛料の獲得に努めた。**朝貢貿易という政治的商業の枠外での物資調達を図った**のである。

そうしたこともあって、**一五世紀後半は「琉球の大交易時代」**といわれるように、**琉球がアジア貿易の中心となった**。しかし、明が弱体化して、一五世紀末に沿岸の密貿易の取り締まりの体制が弱まると、明の商人の密貿易が盛んになり、琉球貿易は次第に衰退した。

一五、一六世紀の東アジアは、頑迷な対外政策（**海禁政策**）をとる明の弱体化により、世界でも珍しい「**密貿易商人の時代**」に入っていく。民間商人が頑迷な政治に反旗をひるがえしたのである。密貿易商人は、もしもの場合に一族に害が及ぶのを恐れて「**倭寇**」と自称した。そのため商人の武装貿易は、「嘉靖《かせい》の大倭寇」（日本では後期倭寇）などと呼ばれている。しかし、倭寇の大部分は明の商人だった。

一六世紀初頭に、ポルトガルがマラッカを支配すると、ただちに明に使節を送り勘合貿易を求めた。しかし、事情を察知した明はポルトガルの使節を認めず、ポルトガル船の広州への入港も阻止した。

そこでポルトガル船は、北上して福建の月港、浙江の雙嶼《そうしょ》港などを「拠点」とする密貿易商人のネットワークに参入。東アジア海域の貿易に進出した。一五四三年のポルトガル人の日本来航も、密貿易商人のネットワークを利用して成し遂げられたのである。

一五四三年、ポルトガル人の乗ったジャンク（木造帆船）が種子島《たねがしま》にたどり着いた時、同船には明の密貿易商人団の指導者、王直がオーナーとして乗り込んでいた。王直は鹿児島の硫黄島に硫黄の採集に赴いたのだが、ついでに種子島に立ち寄り、火縄銃のつくり方を伝授した。

王直の意図は、当時すでに東南アジアでは出回っていた火縄銃を日本に行き渡らせ、火薬の原料の硝石を大量に売りつけることであった。彼の企ては図にあたり、新式の武器として火縄銃が日本に行き渡ることになり、アユタヤから運ばれた硝石で荒稼ぎができたのである。

王直はもともとは塩商であったが、大頭目として、平戸、五島を「拠点」に密貿易の大ネットワークを組織した。明の頑迷な通商政策をどう判断するか、評価は難しいのだが、東アジアの海に大交易ネットワークを築き上げ、明にその鎮圧を決意させるだけのリーダーだったのである。

歴史の読み方51

明では「倭寇」として扱われているが、日本列島を武力統一した豊臣秀吉が、当時、明の属国だった朝鮮半島の李朝を攻撃。それに対抗して、李朝の宗主国の明の軍隊が朝鮮半島に派兵する出来事が起こった（文禄・慶長の役、明では万暦朝鮮の役）。

ところが、海の世界からもたらされた火縄銃がすでに日本で「軍事革命」を起こしていたことから、明軍は大苦戦した。中華思想という世界観を持つ明には、大航海時代と連動する海の世界の大きな変化が見えなかったのである。

ポルトガルは一五五七年、明の地方官を買収して広州の近くのマカオに居留地を設けた。ポルトガル商人は、広州で集めた生糸《きいと》を長崎に直送して、二倍以上の利益を上げることに成功した。

明と日本との密貿易が盛んになった理由は、日本の豊富な銀産にあった。博多の豪商、神谷寿貞《かみやじゆてい》が発見した石見《いわみ》銀山（島根県大田市）での大量の銀の採掘により、当時の**日本は世界有数の銀産国であり**、**最盛時の産出量は世界の銀の三分の一に及んだ**とされる。日本の購買力が高かったのである。

当時の日本は西陣織りの原料の生糸、綿布などをもっぱら明に依存していた。しかし、明はかつての「倭寇」の活動を理由に、日本商人の中国沿岸での取引を認めず、博多などの商人は明の密貿易商人を頼らざるをえなかった。ポルトガル人は、日明貿易が滞《とどこお》っている状況を利用して、平戸、長崎で盛んに生糸貿易を行ったのである。

メキシコ銀の直営販売所になったマニラ

一六世紀後半、スペインは、メキシコの太平洋岸最大の港のアカプルコとフィリピンのマニラの間を、大型の帆船ガレオンで定期的に結ぶ「マニラ・ガレオン貿易」を開始した。アメリカ大陸で生産された銀（メキシコ・ドル）の三分の一をマニラに運んだのである。

理由は、ヨーロッパに銀を直接送るより、東アジアで絹織物、陶磁器などに換え、それをヨーロッパで売りさばくほうがはるかに儲かったからである。

当時の新大陸の銀の価格は、アジアの価格の三分の一だった。そのために、スペイン商人は三倍の量の商品が買えたのである。スペイン人は太平洋を横断してマニラに銀を運び込み、台湾海峡を越えてやってくる明の商人から、絹織物、陶磁器を大量に購入した。スペイン商人と明の福建商人は、新大陸の銀が安かった分、共に大きな利益を上げることができた。

そうした交易は、マゼランの世界周航を引き継ぐかたちで始まった。**スペインはポルトガルの太平洋とインド洋をつなぐ航路に対抗して、メキシコ（銀）―太平洋―東アジア（絹、陶磁器）―カリブ海―大西洋という航路を成長させたのである。**

一五六四年、レガスピを司令官とするスペイン艦隊がセブ島とマニラに植民地を建設した際に遠征に参加していた修道士（元航海士）**ウルダネータ**は、マニラから日本列島の東岸を三陸沖まで航海し、その後、偏西風に乗ってメキシコのアカプルコに戻る航路を発見した。その航路を使って太平洋を往復したのが、**マニラ・ガレオン貿易**である。

スペインは、マニラで買い入れた明の絹織物、陶磁器、工芸品などを、アカプルコ、メキシコ、カリブ海、大西洋をつないでヨーロッパで売り、大きな利益を上げた。アジアと新大陸の銀の価格差が、莫大な輸送費を上回ったからである。

他方、新大陸からもたらされた銀（メキシコ・ドル）は、台湾海峡を越えて明に大量に流入した。メキシコ・ドルは鋳潰《いつぶ》され、馬蹄銀（秤量《ひょうりょう》貨幣）として流通。一五八〇年代に明では、地税と人頭税を一本化して銀納させる一条鞭法《いちじょうべんぽう》が施行される。銀をかませることで、税の輸送が簡便になったのである。現物ではなく、穀物を銀で代納する方法は、清も地丁銀というかたちで引き継ぐことになる。

歴史の読み方52

明も清も、銀は「地大物博」(土地が広く物産が豊富)の中華帝国にずっと流入し続けると考え、銀が外部に流出することは想定していなかった。中華帝国が世界の中心と考えたのである。ところが、銀は世界商品で価格が変動した。海から中華帝国への経済進出を目指すイギリスは、ランド・パワーの帝国のように維持費用が莫大にかかる領地の拡大は求めず、通商のための「拠点」として香港島を獲得。諸港の開港、低関税、治外法権、自由旅行権、租界(自国が種々の特権を持つ居留地)の設置などにより、中華帝国を崩した。清帝国は、シー・パワーの侵入への対応の仕方がわからなかったのである。

一六世紀後半、マカオ、マニラ、明が唯一の海外貿易港として認めた福建の月港、日本の平戸、長崎の諸港市を結ぶ東アジアの交易ネットワーク(明から見るならば、倭寇貿易)が、アジアの海の経済の中心として活況を呈した。

2 アジアの海の朱印船貿易

徳川家康とオランダ船リーフデ号

一六〇五年、オランダ東インド会社の船がマレー半島のパタニに来航し、商館を設立したという情報が伝えられると、徳川家康は一六〇〇年に豊後《ぶんご》に漂着していたオランダ船リーフデ号の元乗組員二人を派遣。日本貿易が有望であることを伝えさせた。

一六〇九年になると、使節を乗せたオランダ船が平戸に来航し、藩主の松浦隆信が、家康との仲介の労をとった。オランダ使節は駿府で家康と会見し、通商許可の朱印状を得る。同年、平戸にオランダ東インド会社の商館が設立された。つまり、東国から興ったランド・パワーの家康は、シー・パワーのオランダ東インド会社を交易に利用しようとしたのである。

一六三四年、江戸幕府は、長崎に「出島」という人工島の建設に着手。二年後に完成するとポルトガル人が収容された。

オランダ人はその後、島原の乱の鎮圧で幕府に力を貸すとともに、幕府に恭順の意を表し、キリスト教の布教と切り離して交易を行うことを約束して、ポルトガル人を追い落とした。

一六三九年、ポルトガル人が追放されて出島が空き家になると、**一六四一年、オランダ商館が平戸から移され、オランダ東インド会社が対日貿易を独占することになった。**経費がかかる軍事征服を必要としない出島での貿易は、オランダ人にとっても好都合だった。江戸初期の一六六〇年頃が、オランダ東インド会社の東アジア貿易の全盛期である。

歴史の読み方53

オランダ東インド会社と幕府の思惑が一致したことで、出島貿易が軌道に乗った。同社の要人は、「この地に二度と帰らないと決意しなければ、牙をむいたり、暴力を行使したりすることはできない」と述べたという。江戸幕府は、オランダ東インド会社を、うまく統制下に置いて管理したのだが、それは軍事力が弱いオランダ東インド会社にとっても好都合だったのである。

オランダ船が長崎に入港するたびごとに、長崎奉行に提出した「オランダ風説《ふうせつ》書《がき》」は、ヨーロッパ、インド、中国という三地域に分けて海外事情を箇条書きにしたもので、幕府が海の世界を知るための重要な手掛かりになった。

列島に閉じこもるランド・パワーの日本は、シー・パワーのオランダを介してうまく海洋世界の推移を知ることができたのである。

日本が「海国」になった珍しい時代

徳川家康は、秀吉が一五九二年に始めた商人への朱印状（海外渡航許可書）の発給を引き継ぎ、一六〇一年以後、安南（ヴェトナム）、呂宋《ルソン》（フィリピン）、カンボジア、シャム、南シナ海交易の要港、マレー半島のパタニなどに使者を派遣して外交関係を樹立した。それはちょうど、東アジア海域にオランダ人が進出し始めた時期に当たっていた。シー・パワーへの転換の試みである。

家康は、一六〇四年に朱印船貿易を開始。朱印状を、大名・大商人や明の密貿易商人の李旦《りたん》（鄭芝龍《ていしりゅう》はその配下）、イギリス人のウィリアム・アダムズ、オランダ人のヤン・ヨーステンなどに発行した。商人で朱印状の発給を受けた者が六五人、大名が一〇人、明の密貿易商人が一一人、オランダ人・イギリス人・ポルトガル人が一二人、長崎代官、堺・大坂などの武士が四人だった。日本船が東南アジア各港に出向いた、日本の「大航海時代」である。

朱印状は幕府公認の交易船であることを証明する書状だったが、航海は実質的にアジアの密貿易商人のネットワークを利用して行われた。**朱印船を操る航海士として、明人、ポルトガル人、オランダ人、イギリス人が雇われた。朱印船は、長崎から出港し、長崎に帰港するのが定めになっていた。**

一六三五年、「鎖国」で日本人の海外渡航が禁止されるまでの三〇余年間に、三五五通の朱印状が発給されている。年平均一一隻、多い年には二〇隻の船が、南シナ海での貿易に出向いたのである。

朱印船は、ジャンクにヨーロッパ風、和風の造船技術を取り入れた五〇〇トンから七五〇トンの船で、二〇〇人程度が乗り組んだ。「倭寇」と秀吉の朝鮮出兵で明が日本船の来航を禁止していたために、明政府の目が届かない高砂(台湾)、マカオ、安南・交趾(ヴェトナム)、占城(チャンパー)、カンボジア、パタニ、アユタヤ、呂宋、ボルネオなどの南シナ海およびその周辺海域が朱印船の交易先になり、明の密貿易商人との「出会い貿易」が行われた。

朱印船の渡航回数は、交趾が七三回、アユタヤが五五回、呂宋が五四回、安南が四七回であり、ヴェトナム、タイ、フィリピンのルソン島が商取引の場となった。朱印船を出した日本の商人が求めたのは生糸、絹などの明の物産であり、日本からは主に銀、銅、硫黄などが輸出された。

そうしたなかで、ヴェトナムのホイアン、アユタヤなどには日本人町がつくられた。たとえば、アユタヤの日本人町には一五〇〇～一六〇〇人の日本人が居住したといわれ、山田長政のようにアユタヤ朝に重用される人物も現れた。

歴史の読み方54

「鎖国」により日本がランド・パワーに転換すると、朱印船貿易により育っていた造船技術、操船技術を使って国内の各地を結ぶ西回り海運、東回り海運などの国内海運網が急激に成長した。日本全国が海路により、一つに結び付けられたのである。

江戸時代に日本経済が一つに結び付けられたのは主に海路によってであり、山と盆地が多い陸上の五街道（東海道、中山道、日光街道、奥州街道、甲州街道）による輸送の成長は、だいぶ遅れた。たとえば、関東の「くだらない」は、上方（関西）から船で運ばれてきたのではない、地場産のモノの意味になる。

3 オランダの台湾支配と戦った密貿易商人団

チョーク・ポイントの台湾海峡を支配したオランダ東インド会社

メキシコのスペイン商人が、利益の大きいマニラ・ガレオン貿易を盛んに行うようになると、新大陸の銀が大量に東アジアに流出して、スペイン王室の財政が圧迫されるほどになった。そこでスペイン王室は、マニラ・ガレオン貿易を抑制する政策に転じざるをえなくなった。

一六〇三年、スペイン国王フェリペ三世は、マニラ・ガレオン貿易に制限を加えたため、新大陸から東アジアに流入する銀の量が減少した。そうした**スペインの後退期に、オランダ東インド会社はチョーク・ポイントの台湾海峡を抑えて、効率よく東アジアの交易を支配することになる**。

オランダ東インド会社のねらいは、①マニラ・ガレオン貿易で大量の新大陸の銀が流入するマニラと福建の密貿易商人の交易ルート、②ポルトガルのマカオ（南シナ海）と長崎（東シナ海）の間の生糸と銀の交易ルートが交差する海の要地、台湾海峡に「拠点」を新たに設けてスペイン、ポルトガルの交通を遮断し、東アジア貿易を支配することだった。オランダは一挙に、スペイン、ポルトガルを東アジア交易から排除しようとしたのである。

しかし、当時の明は、台湾海峡の澎湖諸島を自領と見なしており、多数の軍隊を派遣してオランダ勢力を澎湖島から追い出した。

そこで**オランダ東インド会社は、一六二四年、海峡に面する台湾島**（当時は「小琉

球」と呼ばれていた）付近の小島に、イタリア式の「城塞」兼「商館」のタイオワン館（のちのゼーランディア城）を築き、チョーク・ポイントの台湾海峡を抑えた。

衰退期にあった明は台湾島を領土とは見なしておらず、オランダ人の占拠を黙認。オランダ東インド会社の台湾総督は、一六二六年、日本に滞在する明の商人が台湾で通商することを禁止し、日本商人が持ち込む商品に対しても一割の税を課すと通告した。そこで、それまで協力関係にあった幕府とオランダの間に紛争が生じた。

他方、ポルトガルは、マカオと長崎を結ぶ生糸貿易をオランダ船に妨げられ、マカオからゴアに向かう船までもオランダ船に略奪されるようになり、大きく東アジアから後退していくことになる。

歴史の読み方㊺

現在でも、チョーク・ポイントの台湾海峡と向かい合う台湾は、南シナ海と東シナ海を結ぶ東アジアの地政学上の要地である。中国は台湾を支配することで、①「第一列島線」の南北分断、②太平洋への直接進出が可能になる、と見ている。しかし、ランド・パワーの中国は、社会の構造が陸中心のシステムになっており、シー・パワーの国には短期間では転換できない。ランド・パワーの国がシー・パワーの国に転換できないのは、地政学の鉄則になっている。

問題は、中国という国に対する理解である。中国は、農耕社会と遊牧社会が混ざり合う一大世界であり、内陸王朝の歴史が繰り返されてきた。四川から出た秦朝以降、いろいろな地域の部族がさまざまなかたちで天下を支配し、王朝・帝国と称してきたのである。天命にもとづく王朝なので、独裁支配は当たり前だった。

最後の王朝の清は、満洲人とモンゴル人による征服王朝であり、支配領域は遊牧民が住む広大な土地にも及んだ。中国の近代化の動きは農民の民族運動を中心に起こってきたが、清朝の後に建てられた中華民国は、実質的な袁世凱《えんせいがい》王朝だった。しかし、新王朝の創設は袁の死で挫折。

その後、軍閥の乱戦の時代に入る。孫文の判断でコミンテルン（共産主義インターナショナル）、ソ連、共産党が争いに加わり、結局、清朝の領域をそのまま引き継ぐかたちで現在の中国が成立する。

毛沢東は最初は連邦制に傾いていたが、過渡期の混乱を恐れて、清帝国が支配した「世界」にそのまま「中国」をかぶせてしまった。そこで国のかたちが定まらないという問題が、ずっと尾を引くことになる。

シー・パワーの民間商人団の台湾支配

一六四四年、明が滅亡して満洲人の清が成立すると、翌年に密貿易商人の鄭芝龍は、杭州の明の皇族を擁立して、福建の福州で明を復興させる運動を起こした。しかし、運動は失敗し、鄭芝龍は清軍に降伏。北京に護送されて、一六六一年に殺害された。その後、息子の鄭成功《ていせいこう》が清との戦いを継続。明の国姓の朱(明は朱元璋により建国)を賜って、「国姓爺《こくせんや》」と呼ばれるようになった。

一六六一年、鄭成功は二万五〇〇〇人の軍を率い、二〇〇〇人の守備兵が守るオランダ東インド会社の「拠点」ゼーランディア城を包囲したが、守備側の火力(銃火器の威力)が強く、鄭成功軍は撃退された。

しかし、離反者から要塞を見下ろす背後の丘の防備が弱いという情報を得ると、**鄭成功は丘を占拠した後で要塞を砲撃し、陥落させた。台湾に、東アジアで初めて**

「海の商人団の国家」が築かれたのである。

歴史の読み方56

清帝国と鄭氏の台湾の商人国家との戦争は、清のランド・パワーに対する、明の商人団のシー・パワーの戦いだった。新大陸と日本からもたらされた莫大な銀の流入と交易の拡大が、商人団のシー・パワーを高めていたのである。ランド・パワーが常に優勢だった東アジア世界で、シー・パワーが自立する勢力となった珍しい事例である。

ランド・パワーの清による台湾の併合

鄭成功は台湾に拠点を築いた翌年の一六六二年に、三九歳で急死した。しかし、**鄭成功は今でも台湾の始祖と見なされている**。彼の死後、その息子の鄭経（一六四二〜八一）があとを継ぐことになる。彼は、清に服属した明の軍人が三藩の乱（一六七三〜八一）を起こすと、それと呼応して本土反攻を試みたが失敗した。

その後、後継者争いが続いたことで鄭氏は力を弱め、遷界令により清が沿海五省の住民を内陸に移住させ、鄭氏一族の交易を遮断する政策をとったために孤立、弱体化。一六八三年、康熙帝（在位一六六一―一七二二）の時代に清に併合された。海に囲まれた台湾が初めてランド・パワーの支配下に入ったのだが、内陸の草原と農地の統治に腐心する清は、チョーク・ポイントの台湾海峡、物資的に豊かな台湾を生かすことができなかった。

鄭成功は平戸生まれで、母親が日本人だったこともあり、江戸時代には日本でも「国姓爺」の名前でよく知られていた。そこに目をつけた近松門左衛門が、和藤内（和〈日本〉でも藤〈唐〉でもない〈内〉の洒落）を主人公として創作した人形浄瑠璃が「国性爺合戦」で、一七一五年に大坂の竹本座で初演。人気を呼んで、三年間の連続公演となった。現在も、その一部が歌舞伎の演目になっている。

第九章

第三の海洋帝国イギリスの世界支配

海から世界を制覇したシー・パワーのイギリス

1 海賊から海軍への転換

スペイン船を襲うバッカニア

一六世紀は、スペインが独占しようとする新大陸をめぐり、イギリス、オランダ、フランスなどが対抗した時代だったが、それにヨーロッパの宗教戦争が絡んだ。ランド・パワーのスペインとの戦いにおいて、ヴァイキングの伝統を引き継ぐシー・パワーのイギリス、オランダ、フランスでは、海賊が大きな役割を果たしている。

実際には新大陸の交易をめぐる争いだったのだが、宗教上の対立が都合よく利用された。イギリスのバッカニア、フランスのユグノー、オランダのゴイセンなどの新教徒の海賊は反カトリックを掲げ、連合して大西洋を制するスペインを敵として戦ったのである。単純にいえば、**地中海からの歴史の流れを汲む海洋勢力**

と北のヴァイキングの歴史の流れを汲む海洋勢力の争いだったといえる。

この時期の**イギリスは、私掠船と海賊の全盛期だった。両者の境界はきわめて曖昧で、海賊船が勅許状を獲得して私掠船となることが多かった。**ドイツの思想家、法学者カール・シュミットはその著『陸と海と――世界史的一考察』で、海賊から身を起こした南部コーンウォール州の名門キリグルー家を例として挙げながら、**エリザベス一世の時代にイギリスの船舶は海賊行為や違法な商売に従事しており、合法な業務に従事していた船はきわめて少なかった**、と述べている。

海賊船は非合法の活動をしたが、国王が発行する敵船拿捕の特許状を与えられた私掠船は、イギリスの国旗を掲げて公然とスペイン船を襲い略奪した。海の「遊牧民」よろしく、略奪をビジネスとしたのである。

ヨーロッパの海を荒らし回ったイギリスは、ヘンリー八世（在位一五〇九―四七）の時代にヨーロッパに比類のない帆船海軍を持つようになる。エリザベス一世は、スペインに対抗して**オランダ独立戦争**（一五六八～一六四八）でオランダを支援し、他方で海賊ドレイク、ホーキンズなどが率いる私掠船がカリブ海域から膨大な銀を輸送するスペイン銀船団への攻撃を繰り返した。エリザベス一世は、スペインから略奪した膨大な銀を、東インド会社などの経営資金にしたともいわれている。

アルマダ海戦で没落したスペイン

イギリスは、一六世紀末から一八世紀中頃にかけてスペイン、オランダ、フランスとの間の覇権争いの戦争を繰り返し、大植民地帝国としてのし上がった。

フェリペ二世は、一五八八年、無敵艦隊（アルマダ）と呼ばれた大艦隊をリスボンで組織し、海賊行為を繰り返すイギリスへの報復を図った（**アルマダ海戦**）。戦艦六八隻を中心に艦船一三〇隻、砲二四三一門、水兵八〇五〇人、陸兵一万八九七三人からなる、スペインの総力をあげた大艦隊である。

艦隊は、五月九日、威風堂々とリスボンを抜錨しテージョ川を下ったが、悪天候に見舞われ、途中のラ・コルーニャで船の修理を行って飲料水と食料を積み込み、イギリスに向けて出撃した。迎え撃つイギリス艦隊は、小型の艦船一九七隻、砲一九七二門、兵員一万五九二五人だった。

アルマダは、潮の干満が激しく、激しい風が吹き荒れる北海に悩まされ、機動力に富み砲術に優れるイギリス海軍の攻撃により敗退した。アルマダはドーバー海峡からはるかスコットランドの北を迂回し、やっとのことでスペインのサンタンデール港に帰還したが、帰還した艦船はわずかに半数ほどであった。アルマダの敗北は、大西洋の支配権がイギリス、オランダなど、かつてのヴァイキング世界の後継勢力に移動したことを意味していた。

覇権を失ったことに焦ったスペインは、海軍を再建するために艦船を建造し、大砲などの資材を新たに獲得するために、一五九〇年に断絶していたオランダとの貿易を再開した。しかし、それは裏目に出た。スペインからアメリカ大陸とアジアの産物を輸入するようになったオランダが、ヨーロッパの中継貿易を一手に引き受ける大商業国へと姿を変えていく。

世界史の読み方㊲

一五八八年のアルマダ海戦でスペインが敗北を喫した後、覇権がただちにイギリスに移ったのではなく、約一〇〇年間、イギリス、オランダ、フランス、スペインなどが覇権を争う時代に入った。イギリスが覇権を握ったのは、イギリスとオランダが同君連合を結成する名誉革命（一六八八～八九）の頃になる。

「閉鎖海論」で海運大国オランダを潰す

ピューリタン革命（一六四二〜四九）により護国卿として独裁権を握ったクロムウェルは、人気取りのために手段を選ばない膨張政策をとった。クロムウェルのターゲットは、海運大国のオランダだった。

彼はジョン・セルデン（一五八四〜一六五四）の「**閉鎖海論**」を利用して、手段を選ばずに交易先進国のオランダをイギリスから締め出した。「イギリス・ファースト」である。彼が目をつけたのは、オランダの軍事的弱体だったのである。戦争すれば絶対に勝てる！　一六五一年、クロムウェルは、それまでどこの国も問題にしていなかった船籍を問題視して、次のような内容からなる**航海法**を一方的に制定した。

①イギリス領との貿易はイギリス船（イギリス船籍で船長、乗組員の四分の三がイギリス人の船）に限る。

②いかなる外国船もイギリスの沿岸貿易には従事できない。

③自国に海岸を有する国は直接イギリスと貿易しなければならない。

イギリスは、以上のような主張にもとづく保護貿易を実施。中継貿易を行うオランダ船が、イギリス本国と植民地の港へ入港することを禁止した。イギリスの羊毛を必要とするオランダ経済は大打撃を被《こうむ》ることになった。フランス、スウェーデン、スペインも、イギリスにならって自国商船隊の活動を保護することになり、オランダの中継貿易のダメージは大きくなった。また、北海で行われていたオランダのニシン漁についても、イギリスの漁業権を侵すとして保障金を支払わせている。

翌一六五二年、イギリスはオランダとの戦争に踏み切る。クロムウェルは、オランダ船がイギリス軍旗に敬意を払わなかったことを口実にして戦争を仕掛け、英蘭戦争を開始。シー・パワーが弱体なオランダを、戦争で追い落とした。剝き出しの「イギリス・ファースト」の政策であった。英蘭戦争は断続的に三回に及び、オランダは三回目の戦争では、ヨーロッパ最強の陸軍国フランスも相手にしなければならなくなった。結局、軍事面で劣るオランダは敗北し、ヨーロッパの海の商業支配権を失った。一六六四年、イギリス軍はオランダ西インド会社のニューアムステルダム（国王の弟ヨーク公に献上されたことからニューヨークと改称された）を占領している。敗北を喫したものの、からくも独立を保ったオランダの商人は、イギリスに出資する道を選択。シー・パワーのイギリスは競争相手を潰しただけではなく、大きな資金支援を受けることになったのである。**イギリスは、一六八八～八九年の名誉革命でオランダと同君連合を結成する。**

歴史の読み方 58

オランダでは、「レヘント」と呼ばれる大商人層が実権を握っていたが、彼らは利益追求が第一であり、軍事支出を嫌った。オランダが軍備の拡張に努めたイギリスに覇権を奪われた際も、レヘントは経済優先に徹して、イギリス、フランスへの投資をやめなかった。経済の興隆期には経済重視のオランダは栄えたが、軍事の時代に移行すると、政治・軍事力が低いオランダは覇権を失った。しかし、したたかなレヘントは積極的にイギリスに投資。財政面からイギリスを支援して、その見返りを受けるようになる。オランダの資金が流入したことで、イギリスの力はいっそう増すことになった。

武装商船から戦列艦による商船保護への転換

一七世紀に入ると、軍艦が大型化したこともあって船首に主砲を据えるのではなく、艦内に大砲を設置し、船の両面にあけた「砲門」から射撃を行うようになった。戦列艦のもとになったのはガレオン船という大型帆船である。砲門がつくられたことにより、遠くまで砲弾を飛ばせる大口径の大砲を据え付けることが可能になった。また、大砲が船の下部に取り付けられたために重心が低くなり、船の転覆が防げるようになった。

砲門を設けたのは、大砲を安定させるためであると同時に、敵に大砲を奪われないためでもあった。船の両舷に大砲を据え付けた軍艦は、縦一列に並び、舷側から敵艦隊をいっせいに砲撃する戦術を生み出していく。

従来の海戦では、武装商船が相手の艦隊に攻め込み、相手船に乗り移っての白兵戦を行っていたのだが、離れた場所から大砲を撃って相手船を沈める戦いに転換したのである。その結果、イギリスの軍艦は、**五〇～一〇〇門程度の舷側砲を**

備える「戦列艦」に変わっていった。一七世紀中頃になると、イギリス海軍は軍艦一五〇隻以上を所有し、ほかの国々を圧するようになる。戦列艦の大砲の数が海戦の結果を左右するようになったことで、**武装商船の役割が低下し、商船と軍艦が分離**していった。それにより、商船数は増加。イングランド諸港を出港するイギリス商船のトン数は、一六六三年から六九年の年平均九万三〇〇〇トンが、一七七四年の年平均七九万八〇〇〇トンへと激増している。海の世界での軍事革命が、イギリスを飛躍させたのである。

第二次英仏百年戦争での勝利

ルイ一四世の軍制改革によりヨーロッパ最強の陸軍を組織したフランスは、一七世紀末以降、一〇〇年以上にわたり、ヨーロッパでの王位継承をめぐる戦争などを利用して、北アメリカで植民地をめぐる争いを繰り返した（**第二次英仏百年戦争**）。北アメリカの主な交易品は毛皮であり、この戦争は毛皮戦争だったといえる。フランスの人口はイギリスの三倍だったが、次の点でイギリスに有利だった。

①フランスのカナダ植民地が毛皮貿易の「拠点」だったのに対し、イギリスの

一三植民地は移民による植民地で、多くの人力を利用できたこと。
②ランド・パワーのフランスは、シー・パワーのイギリスに比べ海上輸送力で劣勢だったこと。
③ユダヤ人の金融業者の協力を得て国債を制度化したイギリスが、戦費の調達で優位に立ったこと。

イギリスは、ヨーロッパの七年戦争と連動して、北アメリカで戦われたフレンチ・インディアン戦争（一七五四～六三）でフランスを破り、北アメリカを広大な植民地として支配。**スペインと並ぶ新大陸の植民大国**となった。しかし、長期の戦争で膨大な額の赤字国債を抱えたイギリス財政は四苦八苦であり、一三植民地に本国並みの課税をして財政危機を乗り切ろうとしたものの、植民地の人々が「代表なくして課税なし」のスローガンの下に反発。本国と植民地の関係が悪化して、**アメリカ独立戦争**（一七七五～八三）が勃発する。

アメリカ独立後のオフショア・バランシングへの転換

アメリカ独立戦争が起こると、イギリスは「内乱」だとしてヨーロッパ諸国の介入を避けようとした。重商主義政策によって、植民地はクギ一本に至るまで工業製品はすべて本国から輸入する規定になっており、武器が調達できない植民地側には勝ち目がないはずだったのである。しかし、ヨーロッパ諸国は、結束してイギリスの弱いところを徹底的に突いた。

イギリスに敗れ続けてきたヨーロッパ諸国が、今度は「バランス・オブ・パワー」（勢力均衡）にもとづき、イギリスの力を弱めるために一致団結して戦争に介入したのである。フランス、オランダ、スペインが植民地支援の軍隊を派遣。ロシア、ポルトガルなどは武装中立同盟を結成し、戦争物資を植民地に供給した。その結果、イギリスは敗れ、植民地を失うことになる。アメリカ合衆国の成立である。

それ以後、イギリスは「島国」であることを利用して、沖合からヨーロッパ大陸の動向を観察し、外交・同盟政策によってもっとも有力になった国を叩き潰す「**オフショア・バランシング**」により、ヨーロッパ大陸を自国のために巧みにコントロールする方法に転じた。

イギリスがフランス革命、ナポレオン戦争に際して対仏大同盟を組織し、イギリスの国益を伸ばしたのは、その一例である。最近、アジアの島国「日本」も、アジア大陸の中国、韓国などと一定の距離を置き、オフショア・バランシングにより外交らしい外交を展開するようになってきている。

歴史の読み方59

イギリスはヨーロッパ大陸では覇権を求めず、大陸諸国のバランス・オブ・パワーの維持に専念。その一方で、海軍力により世界の海のチョーク・ポイントを支配し、植民地を拡大した。

2 一〇〇年間で形成されたイギリスの海洋帝国

ナポレオン戦争を利用して世界のチョーク・ポイントを抑える

大陸で戦われるナポレオン戦争に際して、イギリスは基本的に自国を枠外に置いて利益を拡大した。島国であり、すでに議会中心の国家体制をつくっていたためにそれが可能になった。島国であるという地政学上の優位を生かし、イギリスは対仏大同盟の中心になりながら、**ナポレオン戦争を国益のために最大限に利用**できたのである。

ナポレオンの大陸封鎖令を打ち破ることが商業立国のイギリスには必要だったが、ナポレオンの「大陸封鎖」の発想がヨーロッパ経済の現実に合致していないため、逆にイギリスの経済的存在を際立たせる結果となった。イギリスがヨーロッパの対外貿易を独占するような状態がつくりだされていく。

ナポレオンが没落した後のウィーン会議（一八一四〜一五）では、大陸諸国が国境と領土をめぐる争いに明け暮れるなかで、イギリスは大西洋とインド洋をつなぐチョーク・ポイントのケープ植民地、インド洋とベンガル湾をつなぐ要衝のセイロン島を獲得した。とくにケープ植民地は、アフリカにおけるイギリスの植民地支配の拠点となった。のちにイギリスがスエズ運河を支配するようになると、アフリカでもっとも資源豊かな東部地域を独占する際の「拠点」として利用された。

また、ナポレオン軍によりオランダが占領されると、イギリスはオランダの植民地ジャワ島を支配した。ナポレオン戦争後にジャワ島はオランダに返還されたが、副総督としてジャワ島の支配に当たったラッフルズのシンガポール建設、マレー半島への進出により、イギリスは東南アジアへの足場を築いたのである。

さらに、一八一〇年から二〇年代にスペインの植民地だったラテン・アメリカ諸国が独立した際には、スペインがラテン・アメリカはヨーロッパの一部としてウィーン体制を支える五国同盟の軍隊を派遣することを求めたのに反対し、イギリスは五国同盟から脱退した。その後、**スペインから独立したラテン・アメリカ諸国に積極的に経済進出**。産業革命で大きくなった自国工業の市場として組み替えていくことになる。

イギリスが圧倒的な経済力を持つようになると、「閉鎖海論」にもとづく「航海法」は、経済の拡大にとり有害になった。**そこで、イギリスは「自由貿易」を唱えて領海を縮小する方向に転じ、公海での「航行の自由」を認める政策に転換する。**イギリスの主導下に、**一九世紀になると、自国の沿岸から三海里までを領海とする国が多数を占めるようになっていった。**

ランド・パワーの弱点をついたインドと中国の植民地化

一七世紀までは、ユーラシアのリム・ランドに位置するインドのムガル帝国、東アジアの清帝国が、人口でも富でも他地域を圧する超大国だった。しかし、両帝国は基本的に遊牧民の軍事力による征服王朝で、地方や部族が伝統的な特権を維持し、雑然とした古い仕組み、慣行が支配的だった。ヨーロッパの「国」とは明らかに異なる、特権者たちの帝国だったのである。イギリスは地政学・外交術などを活用して、超大国のそうした弱さ、脆さを巧みについていく。時には軍事力を利用しながら、帝国を自国にとって都合のよい近代国家の体制に取り込み、自由貿易を浸透させていったのである。しかし、利用できる宗教対立、部族対立、古い仕組みなどは存続させた。

歴史の読み方60

イギリスは「帝国」を国民国家・資本主義の体制に組み入れることで、ランド・パワーの諸帝国を解体し、支配した。ランド・パワーの中心だったロシア、中国、トルコ、イランなどの諸帝国では、二一世紀に入っても「近代国家」をつくるための試行錯誤が続いている。しかし、いずれもうまくいっていない。既得権を持つ階層が、特権を手放したくないことが大きな要因となって、近代システムになかなか移行できないのである。インドは、イギリスが「国」をつくり、それを通じ植民地として支配しようとしたために、国の枠組づくりという面では西アジア・東アジアの旧帝国領よりも一歩先行している。

インドでは、イギリス東インド会社がインド人傭兵（セポイ）の軍隊を組織。ランド・パワーとして、多神教のヒンドゥ勢力と支配者のイスラーム勢力の対立を利用して、各地の戦争に介入。有力勢力を征服して、**軍事面からインド世界の再編成**を進めた。また、清では、アヘン貿易により大量の銀を国外に流出させ、銀で納税する農民の窮乏化を進め、農業帝国の基盤を掘り崩した。

インドでは、イギリス東インド会社が通商を民間業者に開放し、支配地域の統治組織に変身。一九世紀中頃になると、イギリス東インド会社は植民地支配の拡大を目指し、ビルマ、アフガニスタンなどにセポイを派兵。国外に出ることを嫌うセポイの間に不満が広がった。その不満に火をつけたのが、東インド会社が採用した新式のエンフィールド銃だった。

銃を使う際にセポイたちは、湿気を防ぐための油を塗った薬包を食いちぎって火薬を銃の筒先から注ぎ込まなければならなかった。その油に、ヒンドゥ教徒が神聖視する牛の脂とイスラーム教徒が忌避する豚の脂が使用されているのではないかとして、一八五七年に蜂起が起こったのだ。

それがセポイの反乱で、インド独立戦争の引き金になった。蜂起軍は、実質的に支配権を失っていた老ムガル皇帝をかつぎだして全土の統治を主張したが、一八五九年に鎮圧され、ミャンマーに流された皇帝の死によって、ムガル帝国は滅亡した。イギリスは反乱の責任をとらせるとして、東インド会社を解散。

一八七七年、ヴィクトリア女王を皇帝とするインド帝国を成立させて、実質的にインドをイギリスの植民地にした。

歴史の読み方61

イギリス東インド会社の社員には、アジア内部での利益を求める私貿易《カントリー・トレード》が認められていた。会社は補助的に利用しようとしたのだが、社員の側からすると私貿易のほうが重要だった。

産業革命後にイギリスでは紅茶が普及して、庶民も安価な茶葉を乾燥させて飲用するほどだった。しかし、当時、唯一の紅茶輸出国だった清では、茶葉の輸出は広州の特権商人（広東十三公行《こうこう》）に握られており、銀を払わなければ輸入できない状態にあった。

しかし、イギリスは銀の蓄積が乏しい。思うように紅茶を輸入できないイギリス東インド会社は、プラッシーの戦い（一七五七）で植民地化していたインドのベンガル地方でのアヘン栽培を管理下に置き、地方商人に密輸させて銀を手に入れた。その結果、次のような、アヘンを軸とする「アジア三角貿易」の仕組みができあがった。

①イギリスからインドに機械製綿布を輸出
②ベンガル産のアヘンを清に密輸
③清の紅茶をイギリスが輸入

ところが、清でアヘン中毒患者が激増してしまう。一八三〇年代になるとアヘン輸出が急増し、代金としての大量の銀が清から流出し、銀価が二倍に跳ね上がった。そのために、商人に穀物を売り、銀を手に入れて納税する仕組み（地丁銀）の下で生活していた多数の農民が困窮した。短期間に税金が二倍の額に跳ね上がったのだから、当然である。農民の生活破綻で、農業帝国の清は一挙に衰退していった。

歴史の読み方㊷

モンゴル人の軍事力を巧みに利用した満洲人の清は、軍事力で農業帝国の明を引き継いだ強大なランド・パワーであり、遊牧民と農業民の争いを中心に世界情勢をとらえていた。そのために、弱体な「夷狄の地」（中国南部）のさらに南の「海洋世界」のシー・パワーの国との交易によって帝国が傾くなどとは思いもよらなかったのである。官僚がワイロをとってアヘンの密輸を黙認。大量の銀が海外に流出して、帝国が崩されるなどとは夢にも思っていなかった。大航海時代以後、シー・パワーと接してきた「島国」日本が明治維新、文明開化に進んだのに対し、ランド・パワーの清、半島国の朝鮮王朝は、海からの国際情勢の変化にうまく対応できなかったのである。

銀の海外流出で危機に陥った清は、一八三八年、特命全権大臣（欽差大臣）に林則徐を任命。林は、広州に赴いてアヘン一四二五トンを没収。広州の海岸に巨大な穴を掘って海水を入れ、没収アヘンを生石灰とともに投じて処理した。生石灰の、水を加えると高温を出して固まる性質を利用したのである。アヘンの処理は三週間以上も続いた。その後、林はアヘン商人に対して、アヘン貿易の厳禁を言い渡した。

これによって、アヘン商人は莫大な利益を失うことを恐れ、**イギリスは「アジアの三角貿易」が崩れることを嫌って、アヘンは商品であるとしてアヘン戦争（一八四〇〜四二）を起こした**。機械製綿布を清の巨大市場で売りたいという野望もあった。シー・パワーのイギリスが清に派遣した軍隊は延べ二万人に達したが、大部分は東インド会社の傭兵セポイだった。イギリス軍が長江流域にまで攻撃を広げると、戦争が帝都に及ぶことを恐れた清の官僚は、イギリスへの徹底抗戦を主張する林則徐を退け、イギリスを懐柔する道を選ぶ。

清の官僚にしてみれば、戦争が終結して自分たちの生活が安泰ならばいいわけで、一八四二年に南京条約を結び、シー・パワーとしてのイギリスが中国に進出するための、①「拠点」となる香港、②公行の廃止などの有利な交易の条件を与えてしまった。

歴史の読み方63

リム・ランドとしての中国を重視したイギリスは、南京条約で上海などの五港を開港させ、戦争費用（一二〇〇万ドル）、没収された商品アヘンの代金（六〇〇万ドル）、中国商人の負債（三〇〇万ドル）を賠償させ、交易ネットワークの「拠点」として、岩山の香港島を獲得した。その後、香港は、インドのボンベイ（現在のムンバイ）、自由貿易港シンガポールから伸びる航路につながるイギリスの東アジアの戦略的な貿易港として、急激な成長を遂げた。

その後、清では銀価格の上昇に、アヘン戦争の戦費や賠償金にあてるための追加税が加わって、民衆の生活がいっそう悪化した。そうしたなかで一八五一年に、広東で科挙試験に合格できなかった洪秀全（一八一三〜六四）が上帝会を組織し、約一万五〇〇〇人の農民を集めて広西で挙兵。

反乱軍は、「滅満興漢」（満洲人の清朝を倒して漢民族の王朝を建てる）をスローガンにして長江流域に進出。一八五三年、折からの凶作の下で「滅満興漢」を掲げる民族的な秘密結社の天地会を吸収。五〇万人の大軍となって、南京（天京《てんけい》と改称）を占領。農民が支配する太平天国が清の南半分を支配した。太平天国が広がると、イギリスは一八五六年、広州でイギリス船籍の密輸船アロー号が拿捕《だほ》された際に、清の役人によってイギリス国旗が侮辱された事件（アロー号事件）を口実にして、フランスを誘ってアロー戦争（第二次アヘン戦争）を始めた。

イギリス・フランス軍は北京を占領した後、一八六〇年に北京条約を結び、清に経済進出するための条件をさらに拡大。外国公使の北京駐在を認めさせる。

イギリスは清に香港島の対岸の九竜半島南部を割譲させ、ハート・ランドを支配するロシアは、和約を仲介した代償として領土を差し出すことで懐柔を図る清に、日本の約四割の面積をもつ沿海州を割譲させた。

南半球を独占支配した経緯

先に述べたように、ヨーロッパから遠く離れた南太平洋は、一八世紀になっても「未知の海域」として残されてきた。ヨーロッパから遠く離れ、南半球のほとんど（八割）が海だったためである。太平洋の本格的な探検は、一八世紀後半に、石炭輸送船の航海士から海軍に入り船長となった、叩き上げの船乗りジェームズ・クックによりなされた。その背景は、次のようなものであった。

北アメリカでのイギリスとフランスの長期の植民地争い（第二次英仏百年戦争）は、イギリスのフレンチ・インディアン戦争での勝利で、一七六三年に決着がついた。その後、**一七八三年にアメリカの独立が正式に認められるまで、北アメリカはイギリスの植民地であり続ける。**

それに対抗してフランスが新たな植民先にしようとしたのが、ローマ帝国の時代から遠く離れた南半球の高緯度帯に存在すると考えられてきた「南方大陸」だった。ホーン岬から喜望峰にかけて広がる偏西風の強風域が帆船を寄せ付けなかったために、その詳細はわからなかったのだが、フランスへの対抗上、イギリスの南太平洋探検が進んだのである。

そうした状況下に、イギリスの海軍士官ジェームズ・クックは、二度の探検航海で「南方大陸」が存在しないことを明らかにした。その間に探検した海域でオーストラリア、ニュージーランドが発見され、イギリスの植民地とされた。とくにオーストラリアはアメリカが独立した後、イギリスの流刑植民地として利用され、一八五一年のゴールドラッシュ以後、開発が急速に進んだ。

歴史の読み方64

世界史の主舞台だったユーラシアから遠く離れた南半球は、八割が海という「水半球」だった。「地球規模の海のネットワーク」を重視するイギリスは、アメリカ独立戦争の時期にニュージーランド、オーストラリアを領有。ナポレオン戦争で弱体化したオランダからアフリカ南端のケープ植民地を獲得。一八一〇年代から二〇年代に独立したラテン・アメリカ諸国に経済進出するなどして、ほぼ独占的に南半球支配を実現した。それが、イギリスが「世界海」における海洋覇権を成立できた一つの大きな要因になっている。

3 産業革命と陸・海の交通革命

「パクス・ブリタニカ」

イギリスの産業革命は綿業を中心に起こったが、その前提になったのが、シー・パワーによる植民地帝国の形成だった。東インド会社がインドからもたらした高級綿布は、カリブ海域の奴隷を使うプランテーションで大量に生産された綿花を原料とし、毛織物工業の技術を生かしてイギリスで加工することで、安価で丈夫な大衆衣料品に変わり、大西洋周辺の大ヒット商品になった。その後、綿花から綿糸を紡ぐ工程で機械化が進み、エネルギー源として蒸気機関が使われるようになって、安価な機械製綿布が量産されるようになる。

イギリスの安価な機械製綿布は、大西洋市場だけではなく、インドの伝統的市場も制して世界商品になった。イギリスの植民地体制が、新大陸からアジアにも及ぶようになっていく。また、小型の蒸気機関を利用して重い石炭、大量の原料、製品を運ぶための鉄道の建設が、一八三〇年から本格化した（交通革命）。

イギリスの市場が世界化することにより、イギリスのシー・パワーが一気に強化されていく。**イギリスは、産業革命と交通革命で「パクス・ブリタニカ」という繁栄時代に入っていく。**

歴史の読み方65

産業革命以後の技術革新（イノヴェーション）の時期には、技術の開発が新たな資源を生み出した。蒸気機関の普及により「石炭」が急速に重要資源になったが、二〇世紀中頃に石油時代に入ると石炭の価値が低下し、石油が地位を高めた。地政学では、資源の分布が問題になるが、その対象は常に変化していくことになる。

利用された「郵便船」

産業革命により交易の規模が拡大し、アメリカ経済が成長すると、資源大国のアメリカとヨーロッパ諸国の間の輸送が盛んになった。北大西洋航路が、海の大動脈になっていく。そこで、情報やヒトやモノを一定間隔で確実に海上輸送することが必要になった。遊牧帝国で駅伝制が発達したように、海洋世界でも、遅ればせながら郵便物を規則正しく運ぶ**郵便船**が登場する。郵便船は、もともとは「**パケット**」と呼ばれていた。語源となるパケット・ボートは、もとはオランダの艦隊で指揮官が各船に指令を出す際に使った伝令船だった。軽量な郵便物の輸送は、船会社にとって利幅が大きかったため、郵便船が急速に普及していく。

米英戦争(一八一二〜一五)が終わった直後に、ニューヨークに郵便船会社が誕生。船会社は同一速度の四隻の帆船を就航させ、毎月決まった日にアメリカのニューヨークとイギリスのリヴァプールを結ぶ運行システムをつくりあげた。一八二〇年になると、帆船一〇隻が運用される。船賃が安かったことから人気が高く、南北戦争後の一八七〇年頃まではアメリカに向けての移民輸送の中心にもなった。

そうしたなかで定期航路を育成するために、各国の政府は郵便物を輸送する特定の船会社に補助金を出して成長を助ける。イギリスでは、郵便船の管轄が郵政省から海軍省に移っていく。商船隊の育成によるシー・パワーの強化が目的だった。戦時には、商船隊は海軍に協力した。

鋼鉄の船材が進めた大型船の量産

一八七〇年代に始まる**第二次産業革命**で、十分な強度を持つ鋼鉄が大量に生産されるようになると、**鉄船が量産される**ようになった。その主な理由は、木材資源の枯渇による造船用木材価格の高騰だった。しかし、つくってみると鉄船は安上がりで大型化が簡単であり、水との摩擦が少ないため、スピードも二割もアップした。重さも同型の木造船の三分の一にすぎなかった。海洋工学者の元綱《もとづな》数道氏は『幕末の蒸気船物語』のなかで、鋼鉄船の利点として次の諸点を挙げている。

・木材に比べ強度があるので木造より約三〇パーセント軽くなる。
・大型化が可能である。
・二重底や水密隔壁《すいみつかくへき》が容易に設けられるので、座礁、衝突時に沈没する危険が少ない。
・航海中の水もれが少ない。
・火災に対して安全である。

・木造船と異なり工業生産品であるから、材料供給に対する不安が少ない。
ブルネルが建造した最初の巨大な鉄船グレート・ブリテン号は、一八四六年にアイルランド沿岸で座礁したが、船倉が六つの部分に区切られて強靱につくられていたために、約一年も座礁し続けたにもかかわらず、修理した後での再度の航行が可能になった。修理後にグレート・ブリテン号はオーストラリア航路に転用され、最後はフォークランド島で石炭倉庫船になっている。同号は現在も、イギリスのブリストルで海事博物館船として保存される。簡単に朽ち果ててしまう木造船とは全く違ったのである。

歴史の読み方66

「明治維新」がなされた一八六〇年代は、帆船から蒸気船への大転換期の始まりだった。この時期に、北大西洋航路では帆船会社が蒸気船会社に変わっていく。外輪船もスクリュー船に姿を変えた。**一八六八年から七九年にかけて海上輸送の費用は半額になり、貨物や人員の遠距離輸送が盛んになった。**「世界海」が全面的に活用される時代に入る。

4 イギリスの石炭補給システムと海兵隊

石炭補給の細分化による貨物積載量の増加

アメリカ合衆国が成長を遂げると、イギリスとアメリカの交通が盛んになり、両国を結ぶ大西洋航路が急成長した。現在、世界有数の船会社であるキュナード社を創設したカナダのサミュエル・キュナードは、そうした時流を読んで両大陸を結ぶパケット（郵便船）会社を成長させる。

キュナードは、最初はボストンの帆船運航会社に入り、アメリカの優秀な帆船に対抗するには蒸気船の効率的運航に頼るしかないことに気づいた。豊かな森を船材として活用したアメリカは帆船大国で、イギリス船をはるかにしのぐクリッパーという高速帆船をつくりだしていたのである。

キュナード社はイギリス政府の補助金を得て、月に一回、リヴァプールからカナダのハリファックスを経由してニューヨークに航海する大西洋横断の郵便事業を起こし、ヨーロッパが二月革命で大揺れに揺れた一八四八年、一八〇〇トン級の四隻の外輪蒸気船をリヴァプールとニューヨークの航路に投入した。それらはいずれも、アメリカの全装帆船のクリッパーと対抗できるほどの快速だった。

キュナード社は、スピードにプラスして快適な大西洋の船旅の実現を目指し、甲板上に乳牛小屋をつくり、毎朝、新鮮な牛乳を提供することで評判を呼んだ。低温殺菌の方法が発見されていない時代に、毎日、新鮮な牛乳を飲むというのは陸の上でもなかなか味わえない贅沢だったのである。

アメリカのニューヨーク・リヴァプール郵船会社（コリンズ汽船）も、アメリカ政府の援助を受けて、蒸気船によるパケット輸送を開始。同社は、幕末に日本にやって来たペリー提督の監督下で四隻の二〇〇〇トン以上の木造外輪蒸気船を建造し、郵便輸送を定期化して、キュナード社に対抗した。

この二つの船会社は、熾烈な価格競争を展開し、北大西洋航路の船賃は、最終的に半値までに下がった。ヨーロッパからアメリカに渡る移民の輸送も盛んになっていく。

歴史の読み方67

蒸気船による北太平洋の定期航路は、ヨーロッパとアメリカ大陸の間の距離を縮め、二つの世界の結び付きを緊密にした。アメリカ経済が成長するにつれてヒトとモノと情報の移動が激しくなり、アメリカ、イギリス、ドイツなどの多くの船会社が、スピードと安全で船客を奪い合った。世界の蒸気船航路は、北大西洋を中心に進化していったのである。

イギリス海軍とエンパイア・ルート

イギリス海軍の主要な任務は、「自由貿易」というかたちをとる、自国の海上交通と物資輸送のルートの確保だった。アジア航路は、多くのチョーク・ポイントや遠海部を通っていたが、**イギリス海軍がそうした航路上の要衝を抑え、民間の船会社に実際的な業務を一任した。**

イギリスでアジアでの交通、貿易を担ったのは、P&O社だった。同社は、①

一八四五年にセイロン島のガルと香港の間の定期航路を開き、②一八四七年に航路をガルからインドのボンベイ（現在のムンバイ）に延長し、③一八五〇年になると香港と上海の定期航路を開く、というように、段階的にアジア諸地域に定期航路を延ばしていった。④一八六三年には、上海、長崎、横浜の港が、月二回の定期船（一〇〇〇トン前後）で結ばれた。

一八四二年から一八六〇年頃までの間にP&O社は、

- イギリス、スエズ、カルカッタ
- イギリス、インド、ペナン、シンガポール、香港、上海
- イギリス、スエズ、セイロン島、オーストラリア

の諸航路を開き、イギリス本国とアジア、オセアニアの各地を多面的に結んだ。

イギリス本土からチョーク・ポイントのジブラルタル海峡の英領ジブラルタル、スエズ運河が、イギリスの民間の船会社のアジア進出を助け、アジアの海域では海軍がシー・レーン（航路）を守った。自由貿易の名の下に、インド、東南アジア、中国がイギリスの経済圏に組み込まれていく。

歴史の読み方68

ジブラルタル海峡に面するスペインの南端のジブラルタルは、約三〇〇年前にイギリスの植民地になった、面積六・八平方キロメートル、約三万人の住民のほとんどがスペイン人という狭い土地である。しかし、地中海の出口にあたるスエズ運河がエジプト政府の直営になった現在では、地中海の入り口のチョーク・ポイントを支配し続ければ、イギリスはヨーロッパからアジアに行くシー・レーンを支配できるので手放すわけにはいかないのである。イギリスは現在、ジブラルタルをタックス・ヘイブンとしても活用している。

蒸気船によるイギリス人のインドへの旅

当時のイギリス人は、次のような経路でインドに旅をした。イギリス人がインドのカルカッタに行くには、アジア行きの船が出るサウサンプトン港から出港。ポルトガルのリスボン、ジブラルタル海峡に面した英領ジブラルタル、地中海中央部の帆船時代の主要港マルタ島、イスタンブール、ギリシアのシロス島、トルこのイズミルなどの石炭補給基地で石炭をこまめに積んで航海した。

スエズ運河開通以前には、エジプトのアレクサンドリアまでは船旅をしたが、アレクサンドリアから紅海に面するスエズまでの約三八一キロメートルは四日間の陸上の旅で、乗船客はアレクサンドリアからナイル川を川船でカイロに行き、ピラミッド見学をした後にラクダに乗ってスエズに至るという、きわめて悠長な旅をした。

その後、スエズからスエズ湾、紅海を経由して「涙の門」海峡（バブ・エル・マンデブ海峡）に面するアフリカのペリム島、イギリス海軍の常駐基地があるアデン湾の港アデン、アラビア半島のクリアムリア諸島、インド西岸のボンベイ（現在のムンバイ）、セイロン島（スリランカ）のトリンコマリー、インド東岸のマドラス（現在のチェンナイ）、カルカッタ（現在はコルカタ）、マラッカ海峡に面したペナン島、シンガポール、良質の石炭が採掘されたボルネオ島北部のラブアン島、イギリス東インド艦隊の基地である香港、上海という航路で航海した。それぞれの港には石炭補給基地が設けられて、常時五〇〇トン以上の石炭が貯蔵され、燃焼効率のよいウェールズ炭が帆船により運ばれていた。

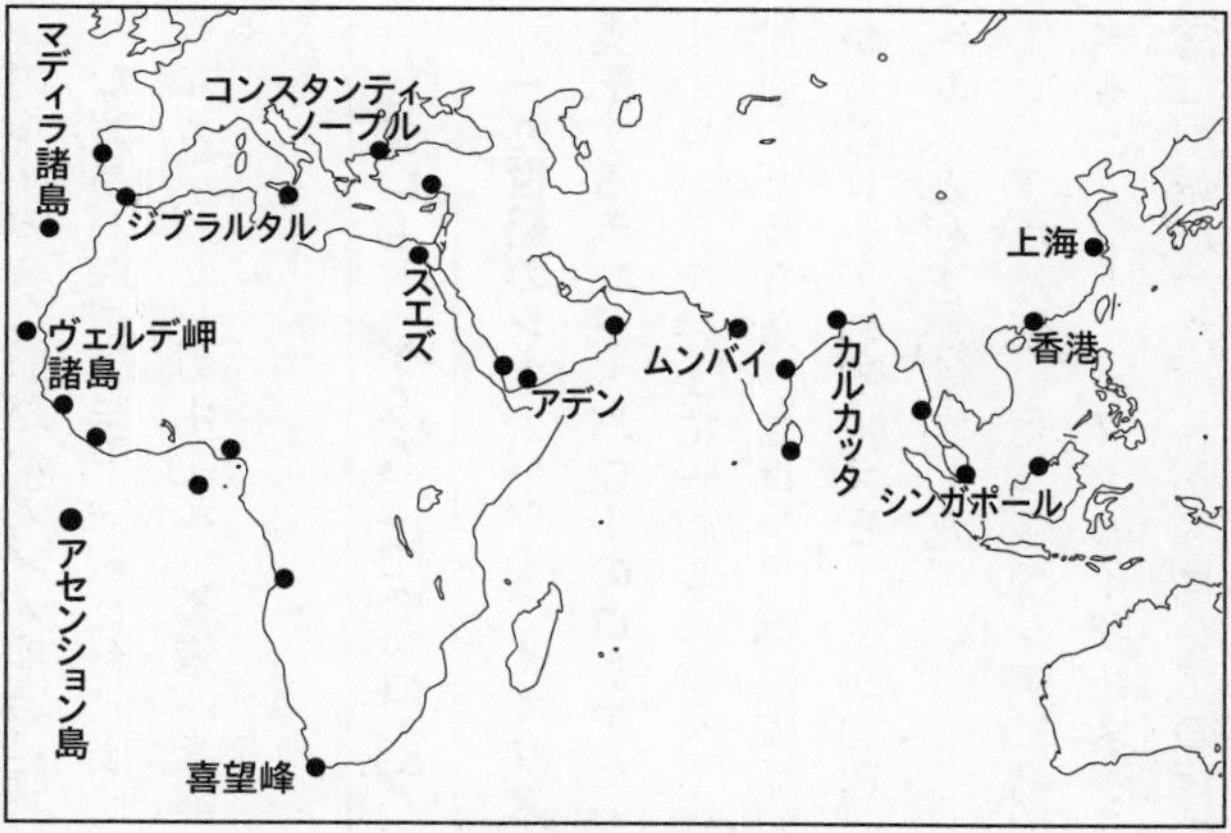

イギリスの石炭補給基地
資料：宮崎正勝著『覇権の世界史』（河出書房新社）

それらの諸港と石炭補給基地はイギリス海軍の海兵隊に守られ、大英帝国を支えるエンパイア・ルート（イギリスの帝国の道）をつくりあげていた。石炭を補給しなければ船が航行できないという条件が、石炭の補給を通じて航路と港を支配するイギリスの体制をつくりあげていったのである。

歴史の読み方⑲

アジアで繁栄したオスマン帝国、ムガル帝国、清帝国をイギリスの市場に変えるために、エンパイア・ルートの港からの支線としてのローカルな航路がアジアの海に張りめぐらされ、港をつなぐネットワークと自由な貿易が海軍の手で守られた。エンパイア・ルートの主要港だったムンバイ、コルカタ、シンガポール、香港、上海は、現在でもアジアの主要港になっている。

「グレート・ゲーム」によるロシアの囲い込み

一九世紀のシー・パワー、イギリスの最大の敵は、「世界島」のハート・ランドを支配するランド・パワーのロシアだった。イギリスにとり、強大なランド・パワーのロシアをいかに「封じ込める」かが課題になったのである。一九世紀末には、鉄道の普及もあってロシア軍の広範囲での移動が可能になって、ハート・ランドからのロシアの膨張スピードが加速。大陸の南の縁辺を制覇しながら東進するイギリスと利害が衝突した。

ロシアが陸伝いにユーラシアに勢力を伸ばすのは比較的容易であり、それと比べると、シー・パワーのイギリスがリム・ランドの広大な植民地を守ることは非常に困難だった。しかもロシアの背後は北極海で、大西洋・インド洋で圧倒的な海軍力を持つイギリスの艦隊でもとても攻撃できなかった。そこで、**イギリスはロシアの南下に脅かされるヨーロッパ、アジアの勢力と同盟し、「グレート・ゲーム」と呼ばれるロシア封じ込めの一連の戦争をユーラシア規模で展開した。**

まず、イギリスはフランスと提携。オスマン帝国を助けてクリミア戦争（一八五三〜五六）を戦ってロシアが黒海から地中海に進出するのを防ぎ、第二次アフガン戦争（一八七八〜八〇）でロシアがパキスタンからインドに勢力を延ばすのを防ぎ、さらに日本と日英同盟（一九〇二）を結び、日露戦争でロシアが中国に勢力を延ばすのを防いだ。朝鮮半島にロシアの南下を防止する緩衝地帯《バッファ・ゾーン》をつくることは、日本だけではなくイギリスの政策でもあった。

歴史の読み方⑰

マッキンダーはその著『デモクラシーの理想と現実』で、ランド・パワーは支配欲が強く、大陸から海に進出しようとする性質を持っており、シー・パワーは生命線である海の交易路や権益を守ろうとしてランド・パワーを封じ込めようとするため、両者の対立が紛争と戦争に発展する可能性がある、人類の紛争の歴史はランド・パワーとシー・パワーの紛争の歴史である、と述べた。イギリスは、ナポレオンが率いるフランスとの戦争、ロシアの南下に対するグレート・ゲーム、二つの世界大戦でのドイツとの戦いで、シー・パワーの覇権を守ったのである。

イギリス経済を伸長させた海底ケーブル網

イギリス海軍は、各地の港に石炭補給基地を設け、要地に陸軍を駐屯させた。そのため、ロンドンと各地の「拠点」港、植民地の駐屯軍を結び付ける電信が重要になった。イギリスは、アメリカ人のモールスが発明した電信を、海のネットワークの強化に最大限利用する。一八五八年に初の大西洋横断の海底ケーブルが敷設されたが、故障が多く実用に耐えられず、一八六六年になって、やっとヨーロッパとアメリカの間の電信が安定した。

海底ケーブルの敷設には深度八〇〇〇メートル以上というような難所があり、大量のケーブルを積載できる巨大なケーブル船が必要になった。イギリスはアメリカと提携し、国家プロジェクトとして海底ケーブルの敷設に努め、一強となった。一八八七年時点で、世界中に敷設された海底ケーブルの約七割をイギリスが支配している。障害物が少ない海は高速の情報伝達の手段であり、イギリスはそこに目をつけたのである。

イギリス政府がバックアップした地球規模の電信網は利便性が高く、世界中の貿易決済に使われた。そのために世界の金融、送金、保険、決済をロンドンの金融街シティが取り仕切った。イギリスは電信網のおかげで、資本の貸し付けによる利子の取得、手数料の取り立てを行い、さらに世界経済の枠組と基準を決定していく。世界の電信がロンドンを経由してヨーロッパ各国に伝えられたため、イギリスは居ながらにして世界の情報を閲読できたのである。

歴史の読み方⑪

こうした海のネットワークと結び付く「電信」によるロンドンのシティの世界金融の支配は、現在のインターネットによるアメリカ・ニューヨークのウォール街の金融支配に引き継がれている。新しい技術も、ネットワークがなければ役に立たないのであり、情報伝達の「枠組づくり」が大切ということになる。

5 アジア航路を六〇日も短縮したスエズ運河

退任後にスエズ運河を建設した外交官レセップス

一八六九年にスエズ運河が開通し、ヨーロッパの海域世界とアジアの海域世界が直結するという大変化が起こった。

海洋交通の変革が進むなかで、地中海と紅海を結ぶスエズ運河の掘削計画は、古代エジプト以来、繰り返し構想されてきた。エジプトに遠征したナポレオンは、調査のために一七五人の学者、技術者を帯同している。そのなかの一人が測量技師のJ・B・ルベールだった。彼は、紅海と地中海の海面の高さには約一〇メートルの高低差があるために運河建設は無理と結論づけた。

フランスの外交官レセップス（一八〇五～九四）は、エジプト着任の際にナポレオンに従ったルベールの報告書を読み、運河建設に興味を持った。退官後、カイロ領事だった時に家庭教師をしたサイードがエジプト太守になったのを利用し、一八五四年に運河建設の特許、開通後の純利益の一五パーセントを支払う条件で、九九年間のスエズ地峡の租借権を獲得した。レセップスは資本金二億フラン（八〇〇万ポンド）の万国スエズ運河会社を設立し、建設に着手する。運河建設のために発行された四〇万株のうち一七万七六四二株は、太守のサイードが引き受け、フランス人が二〇万七〇〇〇株、その他はオスマン帝国が取得することになった。

一八五九年四月に着工された工事は炎天下の難工事で、一一年近くの工期が必要だった。ほとんど手作業で工事に当たったために、約一二万人のエジプト人の犠牲の下、一八六九年一一月一七日に地中海側のポートサイド（太守サイードの名とポート〈港〉の合成語。「サイードの港」の意味）から紅海側のかつてのオスマン帝国の海軍基地、商業拠点だったスエズ（アラビア語では「スワイス」）までの約一六一キロメートルのスエズ運河（深さ八メートル、底幅二二メートル）が開通した。

一八六九年一一月一七日、フランス皇后ウージェニーが乗るエーグル号を先頭に各国首脳が乗った船が地中海側から、同じ時刻にエジプトの軍艦が紅海側のスエズから運河に入り、中間に位置するティムサ湖で両者が出合った。ティムサ湖畔の都市イスマイリア（運河建設を支持したエジプト太守の名に由来）で、六〇〇〇人の大規模な祝宴が行われ、歴史的な瞬間を祝った。

歴史の読み方⑫

ヨーロッパとアジアを結ぶ人工的なチョーク・ポイントのスエズ運河が建設されたことにより、ロンドンとインドのボンベイ（現在のムンバイ）の間の距離は喜望峰を経由するよりも約五三〇〇キロメートル、約二四パーセントも短縮となった。ヨーロッパとアジアの航海が一挙に約六〇日も短縮され、ヨーロッパ勢力のアジア進出が勢いづくことになる。世界史的に見ると、「陸のネットワーク」の時代から「海のネットワーク」の時代への大転換となった。

イギリスのスエズ運河会社株式の買収

地中海を経由してアジアに至る航路を支配していたイギリス帝国にとり、運河の経営権の獲得は至上命令だったが、思いがけなくチャンスが早々にやって来た。

一八七五年、スエズ運河会社の大株主のエジプト太守イスマイールが、逼迫《ひっぱく》するエジプト財政を破綻の危機から救うために、持ち株一七万六六〇二株（全株式の四四パーセント）を売りに出したのである。ところが、普仏戦争（一八七〇〜七一）の直後で、敗北したフランスには株を買い取る余力がなかった。

そうした事態に俊敏に対応したのが、ユダヤ人の銀行家ロスチャイルドから情報を得たイギリスの首相ディズレーリだった。国会が開催されていない状況下で、彼は個人的判断でロスチャイルドから資金を借り、約四〇〇〇万ポンドで運河株式を取得。以後、イギリスは三人のイギリス人を取締役として経営に参画させ、運河の支配権を握った。ロスチャイルドに抵当を求められたディズレーリが、「イギリスを抵当に」と言ったという有名な話がある。

スエズ運河を通過する船舶は、一八七〇年には四八六隻だった。一八八八年の国際条約（コンスタンティノープル条約）で、スエズ運河はあらゆる国の船が通過できる世界で最初の国際運河となった。一九〇〇年になると、スエズ運河を通過する船舶は三四四一隻、第一次世界大戦前の一九一二年には五三七三隻に激増した。

それにならって、**一九一四年に開通した大西洋と太平洋を結ぶパナマ運河も国際**

運河として、世界の船舶に開放されている。

一八九〇年代に入ると、スエズ運河会社は二〜三割の配当を支払えるようになった。度重なる運河の改修工事で第一次世界大戦が始まる頃には、底幅が建設時より約一〇メートルも広げられて三三メートル以上となり、通過時間も一六時間一一分と建設時の三分の一に短縮される。

歴史の読み方㊸

現在は、一五万トン台の大型タンカーが通過できるようにスエズ運河は拡張されている。日本の五洋建設が砂漠の砂が流れ込むスエズ運河の浚渫《しゅんせつ》にあたっている。しかし、船幅が三〇〜五〇メートルの大型船が航海できる運河の幅は約五〇〇メートルで、世界最大のチョーク・ポイントはまだまだ幅が狭いということになる。物流が巨大になりすぎたのである。そのためにスエズ運河を通過する船は一〇〜一五隻がコンボイ（船団）を組み、約一・八キロメートルの間隔を保って七ノット（時速約一三キロメートル）の速度で半日かけて運河部分を通過する。運河の入り口での待ち時間を加えるとスエズ運河の通過には優に一日がかかることになる。

第一〇章

海の世界秩序を根底から組み替えたアメリカ

新大陸のランド・パワーが世界の海を管理する海洋帝国に転身

1 シー・パワーへと転換するアメリカ

ペリーのミッションは石炭の確保

アメリカは最初、北アメリカの**ランド・パワー**として、先住民の土地を奪い、メキシコの領土を奪うことにより成長を遂げた。ナポレオン戦争に際して、フランスからミシシッピー川流域のフランス領ルイジアナを一五〇〇万ドルの安値で買収して領土を倍加し、一八四五年のメキシコ領テキサスの併合、アメリカ－メキシコ戦争（一八四六～四八）による**カリフォルニア**などの併合により、メキシコの領土の三分の一を奪取。大西洋から太平洋にまたがる北アメリカの**大陸国家**になった。

カリフォルニアの獲得で、太平洋を越えてアヘン戦争後の弱体化した清に進出できる可能性も高まった。従来のように、大西洋、喜望峰、インド洋を経由する、地球を四分の三周する航海をしなくても、太平洋を横断すれば地球の四分の一周で東アジアに到達できるようになったのである。

時代は蒸気船への移行期にあったのだが、太平洋には石炭を補給する補給所がなかった。当時の蒸気船は蒸気機関の効率が低く、何カ所かで石炭を積み増さなければ、香港、上海には行けなかったのである。当時、「鎖国」状態にあった島嶼国、日本は、当然のことながら石炭の供給地として着目された。

二年に及ぶアメリカ－メキシコ戦争で、主力艦ミシシッピー号の艦長、艦隊の司令として活躍したのが、ペリーだった。ペリーは一八五三年に蒸気船二隻を含む四隻の黒船を率いて浦賀に来航。翌年、幕府との間に日米和親条約を結んだ。

長い間、「鎖国」下にあった日本にとり、一八五三年七月八日の夕方、浦賀沖に投錨したペリー提督が率いる蒸気艦サスケハナ号（三八二四トン）とミシシッピー号（三二二〇トン）、帆装船サラトガ号、プリマス号の四隻からなる艦隊の入港は、驚天動地の出来事だった。「泰平の眠りを覚ます上喜撰（最高級の茶）たった四杯で夜も寝られず」という狂歌がつくられるほどだったのである。

アメリカ使節ペリーは砲艦外交で日本に圧力をかけ、開国させることに成功した。しかし、一八五〇年代前半にアメリカが所有していた蒸気艦の数は実際には一〇隻にも満たず、使用できる蒸気艦は、アヘン戦争が終わった頃に完成したミシシッピー号、アメリカ－メキシコ戦争の際に建造されたサスケハナ号（一八五〇年に完成）、ポーハタン号（三八六五トン、一八五二年に完成）、サラナック号（二二〇〇トン、一八五〇年完成）の四隻だけだった。そのうちの二隻が遠征に使われたのであるから、アメリカにしてみれば、精一杯の日本遠征だったといえる。

アメリカが日本を開国させたかった理由は、先に述べたように**石炭の獲得にあった。**当時のアメリカの主産業は捕鯨業であり、日本近海のマッコウクジラからもっとも良質の鯨油が取れた。捕鯨船は、小型のキャッチャー・ボートを載せて、船槽が鯨油で一杯になるまで二年間も日本の近海でウロウロしなければならなかったので、日本で石炭、水、生鮮食品を購入する必要があったのである。

また、一八四八年にカリフォルニアで起こったゴールド・ラッシュでサンフランシスコ港が発展すると、アメリカ商人も、アヘン戦争後の広州貿易に参加するようになり、日本列島に中継港を獲得する必要がいっそう強まったのである。

世界を一周した訪日

日本遠征の命を受けたペリーは、一八五二年一一月二四日にミシシッピー号でアメリカを出港。大西洋上のマデイラ島、ナポレオンが島流しにされたことで有名なアフリカ南部の沖合のセントヘレナ島、喜望峰、インド洋のモーリシャス島、シンガポールを経て香港に入った。彼は太平洋を横断したのではなく、大西洋を横断し、喜望峰からインド洋を通って、日本にやってきたのである。

ペリーは、当時すでに石炭の貯蔵場が設けられていた沖縄の那覇で陣容を整え、サスケハナ号がサラトガ号を、ミシシッピー号がプリマス号を曳航するかたちで浦賀沖に入ったのである。艦隊が測量と称して江戸湾の奥深くまで侵入したために、幕府はやむなくペリー一行の久里浜上陸を承認。アメリカ大統領の国書が幕府に手渡された。

一八五四年二月一三日、ペリー艦隊は再度浦賀沖に戻るが、陣容はサスケハナ号、ポーハタン号、ミシシッピー号の蒸気艦三隻と帆船の補給艦が三隻だった。ペリーは、アメリカ海軍が多数の蒸気船を持つというハッタリで幕府を脅し、日米和親条約の締結に成功する。その結果、下田、箱館の二港が、アメリカ艦船に対する石炭、水などの補給港として開港されたのである。

しかし条約書は、ハワイ、パナマを経由して、一〇〇日もかかってワシントンに届けられている。そうしたことから、一八五〇年代の太平洋の海上交通は未だしの状況だったことがわかる。その後、アメリカでは一八六一年から南北戦争(～六五)が始まり、太平洋への進出はお預けになってしまった。

西へ西へ、アメリカのアジア進出

アメリカ合衆国は大きく分けて、ピューリタンの小農民からなる北部社会と、奴隷を使う綿花プランター(大農場主)を中心とする南部、未開拓地の西部からなっていた。北部と南部では国家観が全く違っており、ヨーロッパから西部への貧しい移民が急増する一九世紀中頃になると奴隷制度反対の声が強まったため、南部諸州は、綿花の供給先のイギリスの支援を頼りに合衆国から脱退し、アメリカ連合国の建国を宣言する。しかし、リンカーン大統領はそれを認めず、一八六一年から六五年にかけて、約六〇万人もの戦死者を出す空前の内戦(南北戦争)が展開された。

戦争中にリンカーン大統領が西部諸州を味方につけるために出した、西部の開拓に五年間従事した二一歳以上の者に約二〇万坪の土地を無償で与えるという**ホームステッド法（自営農地法）**が、戦後、大不況という長期の不景気に悩むイギリス、ドイツなどから大量の移民を呼び寄せることになった。だだっ広いだけで何もないアメリカで、大量のヨーロッパからの流入資金と移民の安い労働力が結び付けられ、経済が驚異的な成長を遂げていった。成長を牽引したのは、政府が補助金を出して建設された四本の**大陸横断鉄道**だった。鉄道はアメリカがランド・パワーの強国になるためには欠かせない、インフラ投資だったのである。

南北戦争後の二十数年間のアメリカ経済の伸びはすさまじく、一九世紀末には世界一の工業国となり、押しも押されもせぬ**ランド・パワー（大陸国家）**へと成長した。しかし、アメリカでは国民の大多数を占める移民がきわめて貧しかったため国内市場が狭く、海外に工業製品や農作物を輸出しなければならなかった。

一八九〇年の国勢調査では、フロンティア・ラインが太平洋岸にまで到達。フロンティア（未開拓地）が消滅したことが明らかにされた。開発が限界に達すると、経済が停滞する。

そこで、アメリカ経済の成長には輸出市場の確保が必要になった。しかし、ヨーロッパの工業技術には追いつけず、周辺のカナダもメキシコも経済は未成熟だった。そのためアメリカでは、太平洋の彼方の中国市場に進出するしかないという風潮が強まった。それには、**ランド・パワーからシー・パワーへ**の転換が必要である。しかし、アメリカはあくまでも大陸国家であり、海洋国家ではない。そうした時期にシー・パワーへの転換を理論面で支えたのが、次に述べるマハンだった。彼は、太平洋と大西洋という巨大な海洋に挟まれたアメリカを**イメージ上の海洋国家**と見なし、海洋国家に転身するための青写真を描いてみせたのである。

マハンの海洋進出の提言

一八九〇年に、海軍大佐のアルフレッド・マハンは『海上権力史論』を書き、アメリカが太平洋に進出するための道筋を示した。先に述べたようにマハンは、アメリカを大西洋と太平洋に囲まれた**巨大な「島」**だとする独創的なイメージを提示し、ヨーロッパにはないアメリカの**地政学的な優位**を説いた。**ヨーロッパには大西洋しかないが、アメリカには太平洋もあるではないか、という指摘である。**

それは、アメリカをシー・パワーに転換することを可能にする、地政学のマジックであった。彼は、独創的な発想が重要であり、視野の狭い常識的な見方では現状を打破できないことを具体的に描いてみせたのである。

歴史の読み方74

アメリカは本来はランド・パワーの国であるが、アジア、ヨーロッパと遠く隔たっているために、「島（北米島）」と見なすことが可能になる、とマハンは説いた。たとえば、東京―シアトル間は約七七〇〇キロメートル、ボストン―リスボン間は約五一〇〇キロメートルも離れている。マハンは、大西洋上では強力なヨーロッパ勢力と共存し、太平洋・アジアに進出することがアメリカの基本戦略であると説き、それを実現するには、アメリカの商船隊の拡充、蒸気船による強力な海軍の創設、海外基地（石炭の補給所）の確保、植民地の獲得、制海権が必要だとして、**シー・パワー**（海上権力）の強化を主張した。しかし、周囲の海があまりにも広大だったため、アメリカにはヨーロッパとアジアの大陸に進出するための前線基地が必要になった。その役割を担わされたのが、イギリスと日本という島嶼国なのである。

マハンが描いたアジア進出の戦略

マハンの主張は、シー・パワーの基礎を、①**生産活動**、②商人と海軍による**海上交通**、③**植民地**、という三条件の整備に置き、シー・パワーにより**世界海《ワールド・シー》を制すれば**、**世界を制することができる**というものだった。

それまでの**フェニキア**、**ポルトガル**、**イギリスの海洋覇権は**、**厳しい生活環境から生まれてきたものだが**、**マハンが説いたシー・パワー理論はそれらの国の歴史から抽出されたもの**であり、海の覇権を握るためのノウハウだった。そのために、帝国主義時代のドイツでもイギリスでも、明治期の日本でも、現在の中国でも、マハンの理論は受け入れられたのである。

マハンは『アジアの問題』("The Problem of Asia and Its Effect Upon International Policies")という著作で、アメリカがシー・パワーの強国になるための四つの過程を指摘した。

①大西洋と太平洋を結ぶパナマ運河の建設。
②パナマ運河防衛のためにカリブ海をアメリカ海軍の「内海」にする。
③ハワイ、フィリピンにアメリカ軍の基地を設ける。
④ロシア海軍の太平洋進出を抑止するために、アメリカは、イギリス、日本、ドイツの海洋国家と同盟する。

歴史の読み方⑮

ハート・ランドを支配するロシアの東アジアへの南下に対抗するイギリスの支援もあり、アメリカよりも早く日本のシー・パワーへの転換が進んでいた。一九世紀末、日本は日清戦争（一八九四〜九五）で「眠れる獅子」と呼ばれていた清帝国を破り、①台湾海峡の澎湖諸島、台湾、②渤海、満洲の入り口に位置する遼東半島を獲得。明治時代に、島に閉じこもっていた農業国の日本が、ヨーロッパ列強の進出に危機意識を強めて、シー・パワーに転換していたのである。そこでアメリカの世界戦略には、先にシー・パワーに転換してアジアで独自の勢力圏をつくりつつある日本を弱体化することが新たに加わった。

アジア進出の土台となった米西戦争

日清戦争の三年後に起こったアメリカをシー・パワーに転換させる契機となる戦争が、**米西戦争**（一八九八年）だった。カリブ海のスペインの拠点キューバで反スペインの反乱が起こると、第二五代大統領マッキンリーは、アメリカの居留民保護の名目で、ハバナ港に最新鋭艦メイン号を派遣した。ところが、一八九八年二月に同艦は謎の爆沈をとげ、乗員二六六人が死亡する。その原因は、いまだにわかっていない。

アメリカでは、ハーストやピュリツァーが経営するイエロー・ペーパー（大衆紙）が、スペインが爆沈させたのだと決めつけ、「メイン号を忘れるな」の大キャンペーンを張り、報復を扇動した。新聞の扇動で国内世論が沸き立つと、戦争に反対する中西部の大衆も同調。「スペインに報復すべし」の声が国内に行き渡った。

そうした世論を背にアメリカは、スペイン軍にキューバからの撤退を要求。スペインがそれを拒絶すると、一方的にスペインに宣戦した。それが**米西戦争**である。

戦争が始まると、アメリカ軍はキューバとカリブ海のスペインの拠点を占拠する一方で、香港のアメリカ太平洋艦隊を使い、スペインの植民地だったフィリピンを攻撃して、マニラを占領。アメリカは、わずか四カ月間の戦争で、スペインにキューバの独立を認めさせて自国の支配下に置き、プエルトリコをアメリカ領とするなどカリブ海の内海化に成功。グアム島、フィリピン群島をスペインから獲得して、アジア進出の足場を築いた。

戦略拠点ハワイの併合

一九世紀末のアメリカでは、ハワイにアメリカ海軍のための石炭補給基地、軍港を確保せよという動きが強まった。一八八七年、王宮にクーデターが起こってカラカウア朝が弱まると、アメリカ人のサトウキビ栽培業者が海兵隊の支援を受けて共和政の親米政権をつくり、アメリカへの併合を求めた。アメリカは米西戦争中の一八九八年、それを受けてハワイを併合。オアフ島の南部の真珠湾（かつて真珠の養殖が行われていたことから美しい地名がついた）に、海軍の「拠点」と石炭の補給基地を築いた。

アメリカは一挙に、カリブ海に軍隊を駐屯させ、太平洋の島々（ハワイ、グアム、フィリピン群島が中心）に、転々と「拠点」（軍港と石炭補給基地）を設けることに成功した。アメリカは、日本が急速に勢力を伸ばした東アジア海域（背後にはイギリスの思惑があった）に、少し遅れて進出したのである。

アメリカにとって次に必要になったのが、カリブ海と太平洋を結ぶパナマ運河の建設だった。米西戦争の際に、サンフランシスコからカリブ海へと回航した戦艦オレゴンが、マゼラン海峡を経由する航海で六八日間もかかったことが、アメリカ人にパナマ運河建設の必要性を痛感させた。東アジアで、日清戦争、日露戦争によってシー・パワーの日本が急成長したことも、パナマ運河の建設が急がれる理由になった。

国を挙げてのパナマ運河建設

パナマ運河の建設は、一八八一年にフランス人レセップスにより設立されたパナマ運河会社がすでに着工していたが、山を越えて運河を建設するという難工事に加え、マラリアや黄熱病などの風土病の大流行により会社は破産してしまった。

レセップスは外交官を退いた後に妻と息子を立て続けに失い、失意のなかで一八六九年にスエズ運河を完成させる。その翌年、彼は二一歳の女性と再婚し、生涯に一二人の子供をもうけている。レセップスは経営危機に陥ったパナマ運河会社の資金を集めるために、宝クジ付き債券の発行による資金集めに乗り出し多くの有力政治家にワイロを贈るが、それがあばかれ、詐欺の嫌疑で裁判に付された。結局、レセップスは日清戦争が始まった一八九四年、精神錯乱の状態で病死した。

一九〇二年、アメリカは破産したパナマ運河会社から、運河建設の権利を四〇〇〇万ドルで買い取り、コロンビア政府に建設予定地の租借を申し入れた。翌一九〇三年、アメリカは「太平洋岸のパナマ市から大西洋のコロンビアに至る」幅一六キロメートルの地域の譲渡を受ける条約をコロンビア政府と結ぶが、コロンビア議会が批准を拒否した。

そこでアメリカは軍を派遣し、議会の決定に不満を持つ地主の反乱を助けて、一九〇三年にコロンビアからパナマ共和国を独立させ、保護国にした。もちろん運河建設を進めるためである。一九〇三年一一月、アメリカはパナマ共和国から運河の工事権、運河地帯の租借権を獲得。一九〇四年に着工し、国の総力を結集して一〇年後の一九一四年に全長約八〇キロメートルにも及ぶ閘門式の**パナマ運河を完成**させた。通過するだけで、優に二四時間もかかる大運河だった。第一次世界大戦が始まるのは、運河完成の一八日前のことであった。

パナマ運河は、高度差のある地峡を越えるために、長さ三キロメートル、幅三三・五メートルの五つの閘門を備える、工場のような運河だった。閘に船を導き入れて注水と排水により船を上・下させたのだが、それには大量の水が必要だった。そこで、アメリカはチャグレス川をせき止めてガトゥン湖という巨大な人工湖を造り、その水を利用した。**パナマ運河の開通により、ニューヨークとサンフランシスコの間の距離は、南アメリカの南端を経由した時より、約一万三〇〇〇キロメートルも短く、二分の一以下に短縮された。**

歴史の読み方⑯

二〇一六年に、パナマ運河の幅が広げられた。幅四九メートル（それまでは三二・

三メートル）の大型船が通過できるようになり、従来の三倍の貨物の通過が可能になった。それに対し、反米国家のベネズエラ（推定石油埋蔵量は世界一）との石油取引を進めようとする中国は、香港の実業家に資金を集めさせて、ニカラグアに幅と深さでパナマ運河を超えるニカラグア運河を建設し、アメリカに干渉されないシー・レーン（海上交通路）をつくろうとした。しかし、二〇一四年に着工、二〇一九年に完成予定だったニカラグア運河は、香港の実業家が中国株の暴落で大損したために、二〇一八年に建設が中止になった。

2 第一次世界大戦で崩れ去った一九世紀の世界

ドイツの海洋進出

一八七〇年代に始まる**第二次産業革命**による技術革新と新たな資金調達システ

ムの発達、ドイツ・アメリカが行った保護貿易により、**イギリスを中心とする自由貿易体制が崩れ、「パクス・ブリタニカ」と呼ばれたイギリスの圧倒的な世界経済の体制が揺らいだ。**アメリカとドイツは安価な労働力と保護関税で産業を育成し、大きな技術革新（イノヴェーション）によりイギリス工業を追い越した。しかし、アメリカ、ドイツは、植民地・勢力圏の獲得では後発勢力で、イギリス、フランス、ロシアの優位は揺るがなかった。

歴史の読み方⑰

第二次産業革命というような、イノベーションの時期には、後発の工業国が一挙に優位に立てた。古い工業設備を壊して、新しいものに変える手間が省けたからである。イギリスの経済成長率が、一八六〇年代の三・六パーセントが七〇年代の二・一パーセント、八〇年代の一・六パーセントへと低下を続けたのに対して、一八七〇年代から一九一四年にかけてのドイツ、アメリカの経済成長率は約五パーセントに及んでいることが、それを示している。

イギリスを抜いてヨーロッパ第一の工業国となったドイツは、経済の成長にとって海外植民地の獲得が不可欠と考え、積極的にランド・パワーからシー・パワーへの転換を図った。イギリスの海洋秩序にチャレンジするドイツは、船舶への補助金交付、船舶輸入税の廃止、造船材料に対する輸入税の免除などにより、自国の産業規模にふさわしい海運業の育成を助けた。

宰相ビスマルクを退け、二九歳で即位した**皇帝ヴィルヘルム二世は、アメリカの戦略家マハンの影響を強く受け、海洋帝国への転換を目指す新航路《ノイエクルス》政策を掲げた。**ドイツの戦略は、①鉄道の敷設によるオスマン帝国の東方地域の植民地化、②ペルシア湾からインド洋への海洋進出、の二本立てだった。現在の中国の「一帯一路」政策も同じなのだが、鉄道という強力なランド・パワーによるオスマン帝国への進出、革新的な海軍の創設によるシー・パワー強化でのインド洋進出という、ランド・パワーとシー・パワーを一挙に強めて、イギリスの覇権を覆そうという野心的な政策だった。

内陸国という地政学上の不利を、ドイツは軍事力という物理的な力の強化により乗り越えようとしたのである。現在の中国の世界政策では、前者が「ユーラシア全域」、後者が「南・東シナ海」「西太平洋」とされている。

歴史の読み方⑱

ドイツ海軍が世界に影響力を広げるには、拠点となる海軍基地キールのある**バルト海から直接、北海に抜ける新運河の建設**が必要になった。そこで日清戦争の時期に、バルト海と北海をつなぐ、軍用運河（北海・バルト海運河、キール運河）が開かれた。その結果、北海とバルト海の間の距離は三〇〇キロメートル以上も短縮された。キール運河は、スエズ運河、パナマ運河とともに世界の三大運河の一つに数えられているが、もともとは軍用運河だったのである。一八九五年の運河の開通式で、ヴィルヘルム二世は「ドイツ帝国の将来は海上にあり」と演説し、ランド・パワーのドイツのシー・パワーへの転換を宣言している。

日清戦争、米西戦争、ドイツのキール運河の建設は、一八九〇年代のほぼ同時期になされており、この時期が海の世界の大転換期であったことがわかる。

建艦競争とドレッドノートの建造

一八八九年、海洋覇権を握るイギリスは、世界の第二位、第三位の海軍国の二倍の海軍力を持つことを原則として定めた。それが、二国標準主義である。

それに対して**ドイツは、自慢の工業力を生かして大型軍艦の量産を始める。**木造船が鋼鉄船に替わり、それまでなかったような大型軍艦の建造が可能になっていたためである。

ドイツの海軍大臣ティルピッツは、相手の海軍に「危険」を感じさせるような強力な艦隊をつくることが必要、と主張した。大型の軍艦が量産され、射程距離の長い大型砲が据え付けられれば、射程距離が短い従来型のイギリスの大艦隊は、一挙に役に立たなくなると脅かしたのである。そうすれば、二国標準主義どころか、イギリスの海洋覇権は一挙に崩壊の危機に直面する。イギリスは、「トゥキュディデスの罠」にとらえられていく。

危機感を募らせたイギリスは、射程距離の長い主砲を装備する、世界最大の戦艦ドレッドノート（日本では「弩級《どきゅう》」戦艦）を建造して、ドイツを抑えようとした。ドレッドノートは、従来の戦艦の二隻から三隻分の攻撃力を持つ、強力な軍艦だった。ドイツも一九〇七年以降、同規模の軍艦を四隻建造。するとイギリスは、二万トン以上、三四・三センチメートルの主砲を備えた超弩級戦艦を建造して対抗することになる。第一次世界大戦の開戦時には、イギリス、ドイツの両国所有の弩級以上の戦艦は、イギリスが二九隻、ドイツが一七隻にのぼった。

歴史の読み方 ⑲

現在、ロボット工学、AI（人工知能）、量子コンピュータ、IoT（モノのインターネット）、スマートカーなどの第四次産業革命の真っ最中であるが、またぞろ米中の新冷戦が南シナ海、台湾、東シナ海を舞台に展開され、新型武器の開発競争と軍備拡張（軍拡）が続いている。一九世紀末のイギリスとドイツの軍拡競争は第一次世界大戦を引き起こし、第二次世界大戦後のアメリカとソ連（当時）の冷戦は核軍拡を引き起こして、人類が対処できない量の大量殺戮兵器・核兵器を世界にバラまいた。そして第三次産業革命に乗り遅れたソ連は自壊した。今度は、米中の軍拡競争である。今回は「超限戦」などといわれて日常生活の場に情報戦、宣伝戦などが持ち込まれ、「孫子の兵法」にあるような心理戦が展開されている。いつまで、愚かしい抗争が繰り返されるのであろうか。

3C政策と3B政策の激突

ヴィルヘルム二世は、一八九八年にオスマン帝国の首都イスタンブールを訪問し、無償建設を条件にして、オスマン帝国領を横断してイスタンブールとバグダードを結ぶバグダード鉄道の敷設権を獲得する。鉄道というランド・パワーを利用して、ドイツがオスマン帝国を勢力圏に組み込んだのである。

それを機にドイツは、イギリスの**3C政策（エジプトのカイロ、南アフリカのケープタウン、インドのカルカッタを結ぶ、スエズ運河通過、喜望峰経由の二つのシー・レーンでインド洋を支配する政策）に対抗し、鉄道を中心とするランド・パワーによる3B政策**を掲げ、ベルリンからビザンティウム（イスタンブール）を経由してバグダードに至る鉄道を敷くことにより優位に立とうとした。また、ドイツは、バグダードの外港のバスラから直接、ペルシア湾、インド洋に乗り出すという短距離のインド洋進出策で、イギリスの大西洋、地中海、インド洋の海洋支配を覆そうとしたのである。

イギリスは、ドイツのそうした動きに過剰に対応。伝統的な外交手法のバランス・オブ・パワーでドイツに立ち向かった。イギリスは、フランス、対立関係にあったハート・ランドのロシアと同盟（三国協商）して、ドイツの孤立化を図ったのである。

とくにロシアと組んで、ロシアが影響力を持つバルカン半島のスラブ民族のドイツ・オーストリアの進出に反対する動きを利用。ドイツの進出を抑えようとした。マッキンダーは、「東欧を制する者がハート・ランドを制し、ハート・ランドを制する者が世界を制す」と述べたが、「毒をもって毒を制す」の言葉よろしく、イギリスはハート・ランドのロシアと組んだのである。スラブ民族（ロシア）とゲルマン民族（ドイツ）が直接対決するバルカン半島は「ヨーロッパの火薬庫」と呼ばれ、危機の焦点になった。

世界情勢の危機は、思いがけない事件がきっかけになって表面化する。一九一四年、ボスニアの首都サライエボで、セルビア人の青年にオーストリア皇太子夫妻が暗殺される突発的な事件が起こり、犯人の裁判をめぐるセルビアとオーストリアの対立から**第一次世界大戦**（一九一四〜一八）が始まるのである。

戦争は主にヨーロッパを戦場としたが、植民地の民衆が動員されたために世界規模となり、軍事技術の長足な進歩により大量殺戮兵器による**総力戦**となった。戦争により、ドイツ、ロシア、オーストリア＝ハンガリー、オスマンの四大帝国が滅亡。西部戦線の主戦場になったフランス、財政基盤の弱いイギリスも衰退し、ヨーロッパを中心とする一九世紀型の植民地世界は一気に崩れ去った。

歴史の読み方⑳

ドイツの3B政策は、第一次世界大戦の敗北により挫折したとされるが、紛争の焦点になったバグダード鉄道は、オスマン帝国から独立した国々により一九四〇年になってやっと完成している。

3 海洋大国への転換

第一次世界大戦で海洋進出を遂げたアメリカ

第一次世界大戦が始まると、ドイツは短期決戦でフランスを倒した後、ロシアを攻めるという作戦（シュリーフェン作戦）をとった。ドイツは地政学にもとづいて平坦なベルギーを短時間で通過できると計算していたが、予期せぬベルギーの抵抗でフランスの早期占領は失敗。他方で、ロシアが意外に早く戦争体制に入ったことで、ドイツは東・西の二つの戦線で戦わなければならなくなった。短期決戦の失敗である。

ドイツ海軍は短期間でつくりあげられたため、兵員の練度でイギリス海軍にとても及ばず、大苦戦。最新鋭の潜水艦Uボートを前面に立てるしかなくなった。

一九一五年、ドイツはイギリスとアイルランド海域を交戦区域とし、その海域に立ち入った艦船を無条件に撃沈させる「無制限潜水艦作戦」を宣言する。しかし作戦は、軍需物資・食糧をイギリス、フランスに補給するアメリカの利益を損なうものとなった。アメリカは、無制限潜水艦作戦は、海洋世界を成り立たせている「公海の自由」の原則に反するとして、のちに参戦することになる。

一九一七年、ロシアで二月革命、十月革命が起こって帝政ロシアが倒され、社会主義政権が樹立された。翌年、ロシアはドイツとの単独講和に踏み切る。東部戦線がなくなり、ドイツが優位に立つと、アメリカはドイツのUボートによるイギリス客船ルシタニア号の撃沈事件（一九一五）を口実に、「勝利なき平和」を掲げて参戦。戦争の主導権を握っていく。

歴史の読み方81

アメリカ政府は、従来のヨーロッパからの孤立主義を転換させてドイツに宣戦。その際に、ドイツが「公海の原則」を犯したことを参戦理由にあげた。一九一五年、アイルランド南部一五キロメートルの公海上で、イギリス戦籍の客船ルシタニア号が撃沈され、一二〇〇人余の乗客が死亡し、多くのアメリカ人船客も死亡したのである。しかし、実際のところは、アメリカがイギリス、フランスに膨大な資金を貸し付けており、両国が敗北することを恐れたためだった。

アメリカの大統領ウィルソンは、議会で「平和の原則（**ウィルソンの一四カ条**）」による戦争の終結を提案。そのなかには国際連盟の創設、民族自決とともに、「公海の自由」の原則の確立が掲げられている。しかし、それらの提案を組み込んだヴェルサイユ講和条約には、孤立外交を主張する共和党が強く反対。共和党が多数を占める上院の批准が受けられなかった。アメリカ国内に、民主党のシー・パワー政策と共和党のモンロー主義（孤立主義）政策の厳しい対立があったのである。

姿を現すアメリカの大商船隊

第一次世界大戦では、海上でも総力戦が展開された。合計、約一二〇〇万トンの船が沈没させられ、約一五〇〇万トンの民間船舶が軍に徴用された。その結果、戦後には世界規模で輸送艦船が不足。不定期航路の運賃は、一九一七年に第一次世界大戦前の二八倍にも高騰した。日本でも船会社が大儲けをし、「船成金」が生まれるほどだった。

直接の戦場にならなかったアメリカでは、一九一六年以降、船舶院が五〇〇〇万ドルの資金を投じて、造船・海運の振興が図られた。一九一三年から一九年にかけて、アメリカの外洋船建造が約一三倍に伸びている。

アメリカでは大量の軍需物資、食糧をヨーロッパに輸送する商船隊が、著しい伸びを示した。第一次世界大戦中に、新造船により約九〇〇万トンを輸送する応急商船隊（emergency fleet）が組織され、戦後の商船隊の規模は一二四〇万トンに達し、イギリスを追い抜いた。アメリカは、第一次世界大戦を利用して世界一の大商船隊を持つようになったのである。

アメリカのシー・パワーへの転換である。世界大戦で、ヨーロッパ最大のシー・パワーを誇ったイギリスは債務国に転落。ハート・ランドを支配していたロシア帝国は二度の革命により崩壊した。アメリカは、ヨーロッパに約一〇〇億ドルの債権を持つ**世界最大の債権国**となる。

第一次世界大戦後、アメリカでは発電と電機産業、自動車産業などが勃興し、チェーン・ストアなどによる流通革命、ラジオによる大衆文化の隆盛により、**大**

衆消費社会が成立した。**自信を強めたアメリカ人は、地球をユーラシア中心の「東半球」とアメリカ大陸中心の「西半球」に分け、封建的な旧社会に対して自分たちは、人類の理想を実現する新社会であると、考えるようになる。**

そうしたこともあり、**アメリカの外交は、アメリカが基本的に「善」で、敵対する勢力を「悪」とする、単純な二元論に陥りやすい傾向がある。**

地政学で読む第二次世界大戦

世界恐慌による、世界の政治・経済の行き詰まりから起こった**第二次世界大戦は、最初はランド・パワーとシー・パワーの戦争だった。ドイツ、ロシア、日本などの資源に乏しいランド・パワーの国々の経済がまず行き詰まり、戦争に訴えざるをえなくなったためだった。**一九三一年に日本は満洲事変を起こして満洲を植民地化して、開発と入植で経済危機を乗り越えようとし、一九三七年になると日中戦争を起こした。一九三九年、ドイツのヒトラーとハート・ランドのソ連の独裁者スターリンが政治体制の違いを超えて**独ソ不可侵条約**を結び、附属文書の秘密協定で、かつてドイツ、ロシアの植民地だった**ポーランドの分割を協定**。両国が

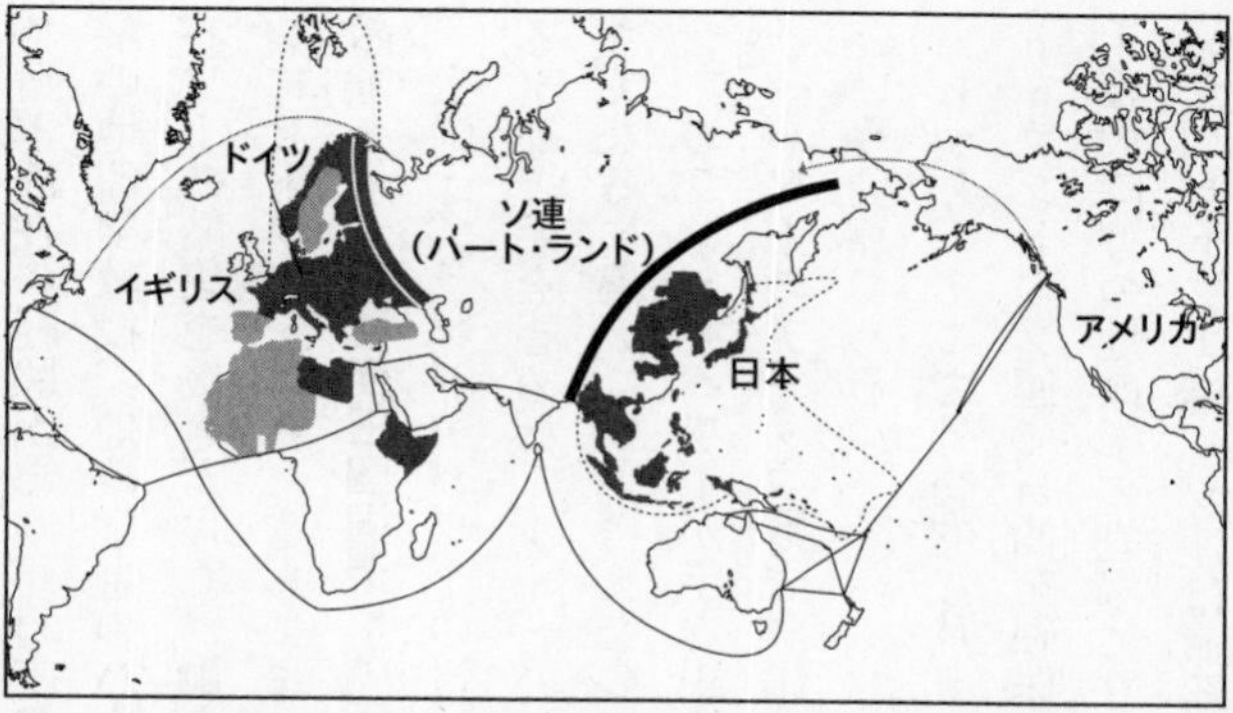

最初はランド・パワーが優勢だった第二次世界大戦
資料:ニコラス・スパイクマン『平和の地政学』(芙蓉書房出版)を参考に作成

<編集注>※1) 陸地のうち濃い網・グレー部分は、ドイツあるいは日本が直接的・間接的に支配した最大範囲。
※2)海域にある点線囲み部分は、ドイツあるいは日本の支配が及んだ最大範囲。
※3) ドイツ支配領域東端付近の白線、日本の支配領域西端付近の黒太線は、ドイツ・ソ連・日本のランド・パワーの区分イメージ。
※4)原図タイトル=ドイツと日本の最大拡大範囲(1931～1942年)

ポーランドに、ソ連はさらにバルト三国に侵攻した。

ポーランドをドイツ、ロシアの進出を抑えるための**緩衝地帯**《バッファ・ゾーン》としていたイギリス・フランスは、ドイツに宣戦し、**第二次世界大戦**が始まった。両国はドイツには宣戦したが、ハート・ランドのソ連に対しては非難にとどまり、やがてドイツとソ連の間に戦争が起こることを期待し、機会を見て、自陣営に取り込もうとした。

一九四〇年、駐在武官とし

て日本滞在の経験があり、日本の外交官に多くの知己を持っていたミュンヘン大学の地理学教授、地政学者の**ハウスホファー**は、日本の外交官に対してランド・パワーの結集を働きかけた。働きかけを受けた日本の外相、**松岡洋右**《ようすけ》は、ベルリンにヒトラーを訪れ、さらにモスクワでスターリンにも会って、アメリカを仮想敵国とする**日独伊三国同盟**に調印し、日ソ中立条約を締結した。

松岡は、ランド・パワーの日独伊三国同盟を組織し、ハート・ランドを支配するソ連と手を組めば、シー・パワーのアメリカ、イギリスも日本に手出しができなくなるに違いないと考えたのである。事実、ドイツ、ソ連、日本というユーラシアのランド・パワーが手を組めば、陸軍が弱いイギリスはもちろんのこと、シー・パワーのアメリカも手が出せなくなり、ランド・パワーが圧倒的優位に立つという計算である。

しかし、そこで外交的な凡ミスをしたのが、**ヒトラー**だった。ヒトラーがハート・ランドのソ連で石油を確保しようとして、ソ連に進攻したのである。ヒトラーは大陸型の地政学の立場に立ち、東欧、ソ連をドイツの「**生存圏**」と見なしていた。ヒトラーは、「ソ連は武器も古く弱体なので、一カ月で降伏させることができる」「戦争を継続するにはソ連の石油を支配しなければならない」として、ソ連との提携維持を主張する外務大臣**リッペントロップ**と対立。結局、ソ連との戦争を始めたのである。それが、一九四一年に始まる**独ソ戦**（一九四一〜四五）である。

その結果、ユーラシアのランド・パワーの同盟が分裂。ランド・パワーと、スターリンを取り込んだシー・パワーの間の力関係が逆転していくのである。

イギリス、アメリカはハート・ランドのソ連を抱き込み、ランド・パワーを「東」と「西」に分断。ソ連をファシズムと戦う民主主義陣営の一員とすると同時に、猛烈な**反ファシズム宣伝**を始めた。ドイツ、ソ連と組むことでランド・パワーによる世界支配の体制を固めようとしていた松岡外相の思惑は、大失敗。日本は、イギリス、アメリカから「反民主主義」「ファシズム」という烙印を押されることになる。

一九四一年、機を逃さずシー・パワーのイギリス、アメリカの反撃が始まった。イギリスのチャーチルとアメリカのフランクリン・ローズヴェルトは、同年、大西洋上で会談して「**大西洋憲章**」を出し、領土拡張反対、領土の変更には国民の同意が必要、民族自決（ただしイギリスの植民地は含まない）、恐怖と欠乏からの自由、海洋の自由、などを提唱。民主勢力の大連合の結成を目指した。

イギリスとアメリカは、仇敵《きゅうてき》だった社会主義ソ連のスターリンを抱き込み、それまでの**シー・パワーとランド・パワーの戦争**を、「**ファシズムと民主主義の戦争**」に組み替えたのである。アメリカは、ナチス軍の猛攻で亡国の危機を迎えていたソ連を背後から助けた。ランド・パワーは、極悪非道の侵略者として悪役にされていく。

アメリカの国務長官ハルは、日本に対して**ハル・ノート**（中国から日本軍が撤退しない限り、石油・くず鉄は売らない）を出し、エネルギー小国の日本に対して戦争を挑発。アメリカ大統領フランクリン・ローズヴェルトは、日中戦争の泥沼化で疲弊した日本を倒して宿願だった太平洋、中国への経済進出を成功させ、シー・パワーの中心勢力になって覇権を握ることを考えていた。

石油の自力調達を図らなければならなくなった日本は、一九四一年四月、日ソ中立条約を結んでランド・パワーのソ連の進出を抑え、オランダ領の植民地インドネシアのパレンバン油田の支配を目指した。

欧米列強との戦争を覚悟した日本は、一九四一年一二月、ハワイのアメリカ軍事拠点の真珠湾を奇襲攻撃。**太平洋戦争**（一九四一〜四五）を始めた。大陸で日中戦争というランド・パワーによる大消耗戦を戦い、他方で広大な太平洋でいまだ無傷のアメリカ軍とのシー・パワーでの戦争を始めることは、地政学では絶対に考えられない無謀な作戦だった。

当時、ランド・パワーに傾いていた日本の軍部は、ネットワークの拠点どりが基本となる海での戦いに、武器・食糧・兵員の補充を無視して戦線の拡大を進めた。兵站《へいたん》を重視するシー・パワーの戦い方から外れる、無謀な戦いだったといわざるをえない。

太平洋戦争が勃発すると、三国同盟の「加盟する一国が他国に宣戦した時には、他の二国も宣戦しなければならない」という規定により、**ドイツ**、**イタリアがアメリカに宣戦**。アメリカはきわめて有利な条件でヨーロッパの戦線にも参入することに成功した。アメリカはドイツとの戦争はもっぱらソ連にまかせ、ほぼ決着がついたところで「**第二戦線**」の結成をリードすることになる。アメリカは、負けるはずのない戦争に勝利したのである。地政学と戦略の勝利だった。

戦後、スターリンが指導するソ連、蔣介石が率いる中国は、シー・パワー諸国の危機を救ったランド・パワーの国として、国際連合（国連）の安全保障理事会の常任理事国となった。

歴史の読み方83

真珠湾攻撃で大きな被害を受けたアメリカは、すでに大艦巨砲の時代が終わって**エアー・パワーの時代**に入ったことを察知した。巨大な軍艦も、空からの航空機の攻撃には無力だったのである。そこでアメリカは、戦闘機、爆撃機の量産、レーダーの研究、空母中心の海軍への切り替えを大胆に進める。前例や慣行にとらわれていると、自分たちの行ったことのなかにある革新性を発見できないことが多い。真珠湾以後の、日本軍とアメリカ軍を比較すると、それが明らかである。

「日本の米作の伝統は、循環的発想を育てることになり、「前例・慣行」主義に陥りやすい。自分たちが創り出している「素晴らしい変化」に対する障壁が強固なのだ。

4 アメリカによる世界の海の一体管理

圧倒的シー・パワーによる新海洋システム

第二次世界大戦は、第一次世界大戦をはるかにしのぐ**総力戦**になった。しかし、ユーラシアから離れたアメリカには戦争の被害が及ばず、諸国に武器、物資を供給し続けるなかで**モンスター国家**に成長した。

世界中が荒廃するなかで、唯一、戦争被害をほとんど受けなかったアメリカは、野心的な戦略の下で戦後、グローバルな平和維持体制をつくり、その管理者の地位に収まった。アメリカは一九世紀の植民地体制を崩し、自国の**上院をモデルにして**、国連を中心とする大小の国々からなる国際秩序に再編した。

経済面でも軍事面でもず抜けたモンスターになったアメリカは、二度と第二次世界大戦のような悲惨な戦争を起こしてはならない、そのためには、地球規模で秩序と平和をもたらす国際組織による世界システムの確立が必要と主張。**基軸通貨ドルと国連、核兵器の独占**による国際秩序をつくりあげた。

大戦中の一九四四年、アメリカのニューハンプシャー州の保養地ブレトンウッズに同盟諸国の代表が集められ、金《きん》と交換できる唯一の通貨として、ドルが世界の基軸通貨に定められた。戦後のアメリカの戦略がさりげないかたちで提案され、諸国はそれを受け入れた。各国の経済はどん底状態だったため、どの国もアメリカの支援が必要だったからである。

そこでつくりあげられたのが、従来の諸国の海洋支配をめぐる争いを吹き飛ばしてしまうような、地球規模の海洋秩序維持の枠組だった。それは、次のようなものである。

①唯一の巨大市場となったアメリカ市場を諸国に開放し、アメリカは率先して**自由貿易**を実行する。それは商品の輸出先に悩む戦後の諸国にとって、救いの神だった。しかし、それは他方で自由貿易によりアメリカの工業製品、農産物が世界中に氾濫することを意味した。

②ズバ抜けて強大になったアメリカ海軍が海洋秩序の維持にあたり、世界中の

海上輸送を全面的に保護する。しかし、それはアメリカ海軍が中心になって、主要なシーレーン(輸送路)とチョーク・ポイントを同盟国とともに支配することを意味した。

③通貨の引き下げ競争をなくし、世界の通貨を安定させるために、当時、唯一、金との交換が可能とされたドルを**基軸通貨**にして世界の通貨を一本化し、**固定相場制**により各国通貨をドルにリンクさせた。それは、アメリカが世界規模で通貨発行権を握るのと同義で、各国の通貨はドルの分身になるということだった。

④植民地をなくし、国際連合を中心に諸国を組織する。国連は、国連軍を動かせる安全保障理事会を最高意思決定機関とした。アメリカ、イギリス、フランス、ソ連(現在のロシア)、中国の五大国が拒否権を持つ常任理事国となり、安全保障理事会を動かす仕組みである。

アメリカは、ヨーロッパの宗主国がそれぞれ植民地を支配する一九世紀の植民地体制を崩し、世界全体を一つの統合体に組み替え、企業が地球規模で自由に経済活動ができるような単一のビジネス空間をつくりだした。海洋世界においても、一九世紀までの**「海洋の支配」**から、**「ルールにもとづく海洋管理の体制」**へと転換が図られた。

つまり、**「地政学にもとづく対立を乗り越えたグローバルな国際秩序」がつくりあげられ、アメリカは世界の警察官、「管理国」として覇権を行使できる、圧倒的な海軍、空軍、海兵隊を世界の海域に配備したのである。**

冷戦と海洋世界の分裂

第二次世界大戦は、シー・パワーのアメリカ・イギリスとスターリンが率いるハート・ランドのソ連が共同で、ドイツ・日本と戦った戦争だった。ドイツと直接戦ったのがソ連ということから、アメリカ大統領ローズヴェルトは東欧などをソ連の勢力圏として認めるヤルタ体制を敷いた。

ところが、大戦で弱体化していた西ヨーロッパに社会主義の影響が及び、自由主義体制が危機に直面すると、ローズヴェルトの死去によって副大統領から大統領に昇格したトルーマンは、一九四五年に**トルーマン宣言**を出し、東欧との接点に位置するトルコとギリシアを軍事支援。ソ連の「封じ込め」に転じた。もともと、第二次世界大戦には、**戦後の冷戦**につながるアメリカとソ連の対立が内包されていたのである。

「冷戦」とは、実際の戦争には至らない地球規模のアメリカとソ連の軍事対立だが、一九四九年のソ連の原爆実験の成功により、アメリカ、ソ連両国の核開発競争が激化。**地球規模の核対立の時代**になった。

その後、アメリカとソ連の対立は、地政学的に見ると、シー・パワー（アメリカ、西ヨーロッパ、日本）とランド・パワー（ソ連、東欧、中国）の地球規模の対立となり、リム・ランドで朝鮮戦争、ヴェトナム戦争、湾岸戦争、イラク戦争、アフガニスタン戦争などが繰り返された。

冷戦は、シー・パワーとシー・パワーの直接対決にもなった。

北極海を挟んで国境を接するアメリカとソ連は、核装備したICBM（大陸間弾道ミサイル）で対峙し、北極海は核装備したSLBM（潜水艦発射弾道ミサイル）を持つ原子力潜水艦が配備される、核対決の海となった。北極海の東側の出口であるベーリング海峡、ヨーロッパ側の出口のグリーンランド、アイスランド、ブリテン島の間の海域が、戦略的に重要な海域になった。

一九七〇年代になると、核戦争の恐ろしさが理解されるようになり、米ソ両国がそれぞれの陣営の「核」を管理する体制に代わり、巨額の軍事支出の重圧、ソ連のコンピュータ開発の遅れがあって、冷戦はシー・パワー側の勝利に終わった。一九八九年、**マルタ会談で冷戦は終結**した。一九九一年には共産党のクーデター未遂事件が起こり、ソ連が崩壊する。

アメリカの海洋支配の確立

アメリカはソ連との冷戦を、広大なリム・ランドをアメリカの影響下に置くために全面的に利用した。朝鮮戦争、ヴェトナム戦争などを通じて、世界に五〇〇以上の軍事基地を持ち、世界の主要なシー・レーンとチョーク・ポイントを支配する体制がつくりあげられる。また、膨大な軍事費を使って、強力な「一一の空母打撃群」を重要海域に配備。史上最大の海洋帝国をつくりあげた。

世界の海を、海洋ルールにより管理するには、圧倒的な海軍力が必要となった。第二次世界大戦後のアメリカの海洋覇権の構想を整理すると、以下のようにまとめられる。

①イギリスと協調して、イギリスの覇権体制をそっくり継承する。
②ドルを金と交換できる唯一の通貨とし、固定相場制による世界通貨とする。
③保護関税を撤廃し、自由貿易を進める。時に制裁的な禁輸措置を実施する。
④人権・民主主義を擁護する。
⑤一九世紀の植民地体制を打破。アメリカ企業に有利なビジネス環境をつくる。それについては、ソ連も資本主義諸国を弱めるのに有効と考えた。
⑥国連安全保障理事会の常任理事国（アメリカ、イギリス、フランス、ソ連、中国）が世界政治を主導する。しかし、それはランド・パワーのソ連、中国の拒否権発動で無力化された。

歴史の読み方㊹

アジアに関していえば、アメリカの強大なシー・パワーで、日本・中国、日本・韓国、中国・ヴェトナムに見られるような歴史的怨念、不信感がある程度抑えられた。しかし、各国でナショナリズムが高揚するなかで、過去の歴史問題が政治的に利用される傾向が顕著になっている。現在の対立関係を残したままでアメリカの軍事的プレゼンスがなくなれば、そうした対立は顕在化する。先を考え、各国の政治指導者は世界の現状と合致した、共存のための教育を相互に行うべきであろう。アメリカのオバマ大統領(当時)は「アメリカはもはや、世界の警察官ではない」と述べ、トランプ大統領(当時)は、アメリカの財政に限界があり、「アメリカ・ファースト」にならざるをえないことを表明している。

スパイクマンのリム・ランド理論

世界政治がヤルタ体制から冷戦に転換する時期に、オランダ出身のジャーナリストで、アメリカに帰化したイェール大学の地理学教授ニコラス・スパイクマン(一八九三〜一九四三)が第二次世界大戦中に著した『平和の地政学——アメリカ世界戦略の原点』が、アメリカの対ソ戦略の基礎になった。

スパイクマンは技術革新により高速化した航路を「高速道路」と考え、ユーラシアの南縁部に弓状に広がる日本からイギリスに至る国家群を「リム・ランド」(スパイクマンの造語)として重視した。彼は、アメリカがそれらの国々と同盟を結び、その同盟を足場にして内陸部に影響力を拡大することが、アメリカの安全保障の基本になる、と主張した。つまり、アメリカは大海に囲まれ孤立するランド・パワーであり、太平洋の先のアジア、大西洋の先のヨーロッパと遠く隔たっている。そのために前進基地として、島国の日本とイギリスを活用すべきだ、と説いたのである。

アメリカは、**リム・ランドとマージナル・シー**を支配することで、ハート・ランドに対抗しようとしたのである。スパイクマンは**空軍力の発達を考慮に入れ**、**「リム・ランドを制する者が世界の運命を制する」**とも述べている。スパイクマンは、リム・ランドの争奪戦が世界紛争の原因になると考えて、アメリカに対して次のような基本戦略を提示している。

①リム・ランド諸国とアメリカとの同盟が必要
②アメリカ抜きのリム・ランド諸国の結束はアメリカにとっては脅威
③ユーラシアの内陸部の国にリム・ランドを支配させない

アメリカは、スパイクマンの、ユーラシアのランド・パワーがリム・ランドを支配するのを極力阻止するという戦略を基軸に据えている。朝鮮戦争、ヴェトナム戦争、湾岸戦争、イラク戦争などはそうした戦略に沿って戦われ、日米同盟もその枠組に位置づけられている。しかし、冷戦が終わりソ連が崩壊するとグローバル経済で急激に経済を成長させ、リーマン・ショック後に大躍進した中国が二〇一三年に「一帯一路」を掲げ、弱体化したロシアに代わってハート・ランドを制し、シー・パワーを増強して太平洋に進出しようとする野心的戦略を展開している。

歴史の読み方85

アメリカが地球規模で展開したシー・パワーの問題点は、その維持に莫大な費用がかかる点である。それをアメリカ一国で賄えるのか、アメリカ国民がそれを容認できるのかという問題が常に存在した。グローバル経済の下でアメリカ国内の格差が著しく拡大し、膨大な軍事負担が困難になってきているのだ。しかし、現在の海洋秩序はグローバル経済の土台であり、国際ルールにもとづく秩序の維持、国際システムを管理するというかたちになっている。そのために、国際ルールを支える軍事体制が弱まると、手前勝手なルールをつくりだす国が乱立し、国際経済が大混乱するおそれも出てくる。

グローバル経済の基盤となった海運の革新

第二次世界大戦後、各国の市場が地球規模で統合されるなかで、製造業の生産規模が拡大し、海上輸送費が著しく低下することにより国を超えた協力関係が強まった。世界経済のエネルギー源になるのは、生産量が激増した石油であった。石油の輸送量は戦前の八倍となり、海運貨物の半分以上を石油が占めるようになっている。一九三七年から一九六四年まで普通貨物の輸送量が二倍に伸びたのに対し、石油輸送は実に八倍にも増えているのだ。

一九七一年のニクソン・ショックによる「ドル危機」と、第四次中東戦争（一九七三）の際の中東産油国の石油戦略の発動による「石油危機」の影響が重なり、**一九七〇年代以降、経済のグローバル化が一挙に進んだ。**

一九九四年一二月のロイド統計によれば、石油タンカーは六六三九隻、総トン数は約一億四五〇〇万トンであり、貨物船・客船を含む全船舶の約三割を占めるに至っている。「石油の道」が、世界経済の大動脈になったのである。

一九七〇年代以降、欧米企業の工場の労働力が賃金の安いアジアへとシフトしたことにより、地球規模の巨大な物流が生み出された。中南米・南米・東南アジア・韓国などのＮＩＥＳ（新興工業経済地域）諸国と、先進工業国の間の海上輸送が激増する。

途上国と先進工業国の間の貿易が増すと不定期航路の定期化が進み、鉄鉱石などの資源を運ぶための大型専用船も登場した。鉄鉱石の輸送は一九六〇年には一億トンを超え、世界の貨物輸送の二割に達している。

大量生産・大量消費の大衆消費社会が世界に広がるなかで、生鮮食品のコールドチェーン（低音物流）での輸送に見られるように、**コンテナ（Container）を利用する「流通革命」**が世界化して、世界中の食材が食卓に並ぶようになった。

シー・パワーを変えたコンテナ革命

海上輸送では人力に頼る荷役作業が輸送コストを押し上げ、大量輸送の最大ネックになっていた。そうした問題を一挙に解決したのが、コンテナ革命とコンテナ船の普及である。コンテナとは、貨物のユニット化を目的としてつくられた輸送容器を指す。考えてみれば、コンテナ輸送はそれほど難しいことではなく、一定の規格のコンテナに輸送物を詰め込み、コンテナを積み木のように船、航空機、トラックに積み替えて運べるようにしただけなのだ。

コンテナは荷役作業を標準化・機械化することで人力による荷役を機械化し、きわめて低コストでの高速輸送を可能にした。最近は、コンピュータで制御される大型の無人コンテナ・バースが普通である。マルク・レビンソンの『コンテナ物語』は、次のようにコンテナ輸送の大規模化を指摘している。

現代のコンテナ港は、一種の工場である。……バース（船席）と呼ばれる岸壁や桟橋などの船舶係留所に横付けされるのは、全長が三〇〇メートルを超え、幅も四〇メートルはあろうかという超大型のコンテナ専用船である。世界のトップクラスの港には、この規模のバースが二〇、三〇とあるのだ。船の甲板に見えるのは、整然と並ぶコンテナの列。赤、青、緑、銀色のコンテナが一五～二〇列、それも六、七段の段積みになっている。甲板の下では、さらに六～八段に積まれたコンテナがホールド（船倉）を埋め尽くす。……衣料品や家電一〇万トン分を積み込んだコンテナ船は香港から喜望峰回りでドイツまで三週間で航行するが、これを動かす人員はたったの二〇人である。

一九六〇年代後半以降に、コンテナ輸送が世界化したことで、グローバル経済を支える輸送革命（**コンテナ革命**）が急速に進行。低価格で大量の物資が地球を回るようになった。一日足らずで、コンテナ船は数千のコンテナを積み降ろし、数千のコンテナを積み込んで世界の海をめぐっていくのである。

繰り返すが、一九七〇年代に入って、ニクソン・ショックによるドルの不換紙幣化（**ドル危機**）と第四次中東戦争を契機に石油価格の急騰（**石油危機**）が平行して進み、スタグフレーション（物価高の不景気）が深刻化した。

そうしたなかで、アジアの安い労働力を利用する競争が進んで企業の多国籍化が進み、世界の経済が急激に姿を変える。グローバル経済への転換である。韓国、台湾、シンガポール、ブラジル、メキシコなどが、NIESと呼ばれる工業地域に姿を変えたのである。

一九八〇年代の後半以降になると、製造業では生産、在庫、輸送管理を一括するロジスティクスが普及。部品の調達が世界規模で行われるようになり、小売業でもインターネットとコンテナ輸送を組み合わせるサプライチェーンが築かれた。つまり、コンテナの中身の多くが工場向けの半完成品、部品に替わり、安価で大規模な海上輸送も、製品づくりの工程に組み込まれ、小売の商品の調達も海上輸送のネットワークに依存するようになったのである。

それに対応するかたちで、海洋は一括管理の時代に入った。海洋のネットワーク化が浸透していく。海域支配をめぐる軍事対立は時代遅れであり、グローバル経済の大きな阻害要因になる。『コンテナ物語』は、現在、コンテナ船の規模を抑止しているのは岩礁、浅瀬が多く、船が航海できる幅が狭い太平洋とインド洋を結ぶマラッカ海峡であり、その地理的制限が取り払われれば、全長四〇〇メートル、幅六〇メートルのコンテナ船が航行可能になり、その船のコンテナを岸壁で待つトラックを一列に並ばせると一〇〇キロメートルを超える計算になると、さらなるコンテナ革命の波及の規模の大きさに言及している。コンテナ革命は現在も進行中で、世界の海が「支配」の場から「管理」の場になることを求めているのである。

アメリカの強大な海軍力による海上輸送の保護の恩恵をもっとも強く受けたのが、実は、文化大革命後の物資が極端に不足した状況から、奇跡的ともいえる経済の躍進で「世界の工場」となった中国だった。

5 国際海洋秩序と反逆する中国

本当は国際海洋秩序でもっとも大きな恩恵を受けた中国

一九八〇年代以降、「改革開放政策」でグローバル経済の波に乗ったランド・パワーの中国は、アメリカなどの世界企業による大規模投資もあって、「世界の工場」と呼ばれるほどの奇跡的な経済成長を遂げた。

しかし、封建的な清帝国を引き継いだ中国は、貧しい農村地帯とかつての遊牧地帯が複合する状態にあったため、社会の近代化は容易ではなかった。ランド・

パワーの清帝国の領域と社会制度を引き継ぎ、軍閥と国民党軍と共産党軍（のちの人民解放軍）の陸上戦により共産党が権力を掌握し、ハート・ランドを支配するソ連の支援を受けたのだから、中国はコテコテのランド・パワーだったわけである。

中国が建国された後、大躍進計画、文化大革命が行われたがいずれも失敗。貧困状態から抜け出すことはできなかった。毛沢東の死後に権力者となった鄧小平が、折からの経済のグローバル化（中国では「全球化」といわれた）の波に乗って、シンガポールをまねて沿岸部に「経済特区」をつくり、アメリカ、日本などの企業を誘致したことで、経済が回復軌道に入ったのである。

とくに一八九〇年代以降、中国市場への進出を世界政策として追求してきたアメリカにとり、欧米の一〇分の一という中国の安い賃金は魅力であり、「チャイメリカ」という言葉が生まれるほどの資本投下、技術移転が行われ、その下請け化が図られた。

一九九〇年代になると、ソ連が崩壊。他方で外資の導入で中国が経済復興を遂げると、天安門事件により共産党の独裁体制が維持された中国は、「社会主義市場経済」を掲げて資本主義経済を導入し、経済を順調に成長させた。

日本の面積の四五倍の領土を持つロシアは、ウクライナ、カザフスタンなどが独立したことから、人口が日本より約二〇〇〇万人多いという並の国になり、GDPもほぼ韓国と肩を並べるようになっていく。

二〇〇八年にリーマン・ショックが起こり、世界経済が大不景気に見舞われると、中国共産党は四兆元（当時のレートで約五七兆円）の巨額投資で内陸部に高速道路と高速鉄道を建設する大規模な開発に乗り出し、世界の余剰資本を集めて、奇跡的な経済成長に成功。二〇一〇年には、日本を抜き、GDPが世界第二位になった。

高速鉄道・高速道路によるランド・パワーのアップでの「一帯一路」

そこで、習近平政権は、高速鉄道・高速道路のトラック輸送でユーラシアを横断し、中国とヨーロッパを結ぶ「一帯一路」（あくまでも陸の「一帯」が中心）政策により、衰退したロシアに代わって、ユーラシアのハート・ランドの覇権の獲得を目指した。それに対して、経済成長が著しいアジアから遠く離れてしまっている、ドイツなどのヨーロッパ諸国も強い関心を示した。ロシアと中央アジアの経済の低迷を利用して、かつてのモンゴル帝国が行ったようにユーラシアの一体化を進める「一帯一路」は、ヨーロッパの注目を集めた。

「一帯一路」政策は、二〇一四年、北京で開催されたＡＰＥＣ（アジア太平洋経済協力）の首脳会議で、中国共産党総書記の習近平により大々的に提唱された「シルクロード経済ベルト」建設の構想である。ハート・ランドを支配してきたロシアが、覇権を中国に譲り渡すか否かがカギになるが、石油、天然ガスに依存する資源国になったロシアに往年の力はなく、チャイナ・マネーの流入を期待して、「一帯一路」については静観状態である。

歴史の読み方㊱

ランド・パワーの中国では、日本から学んだ高速鉄道を利用した広域輸送ネットワークの形成、アメリカの自動車網の導入がランド・パワー強化の最大の武器になった。中国は東南アジアでも、雲南省の昆明を起点に、①ミャンマーのマンダレー、ヤンゴンを経てタイのバンコクに至る鉄道、②ラオスのビエンチャンを経てバンコクに至る鉄道、③ヴェトナムのハノイ、ホーチミン、カンボジアのプノンペン、バンコクに至る鉄道を建設し、最終的にバンコクからインドシナ半島を南下してシンガポールに至る鉄道の建設を目指している。そうした事実は、中国がランド・パワーの国であることを物語っている。

中国が恐れるマラッカ・ジレンマ

アメリカが抜きん出た海軍力によって海洋秩序を維持していることで、すべての国が世界の海上通商路を自由に航行できるようになり、コンテナ革命もあって世界の貿易量は激増。グローバル経済は着実に成長した。前にも述べたように、その恩恵をもっとも強く受けたのが、世界最大の輸出国となった中国だった。しかし、「一帯一路」政策により世界の覇権をねらう中国には、中国経済の首根っこを抑えているアメリカの海洋秩序に対する不安があった。

「世界の工場」に変身した中国は、輸出により得た巨額のドルを集中的に世界に投資することで、世界での影響力を強めた。先に述べたように、二〇〇八年のリーマン・ショック後の大規模投資で、二〇一〇年に中国のGDPは日本を抜いている。

しかし、経済成長率が一〇パーセントという驚異的なテンポで工業化を進める中国は、農村の大衆が圧倒的に貧しいために国内市場が小さく、沿岸部の都市で生産される工業製品の輸出依存度が高くならざるをえなかった。また、エネルギー源の石油を国外に依存するため、世界最大の石油輸入国でもあった。

さらに、中国が輸入する石油の七割は中東産であり、アメリカとその同盟国が管理するマラッカ海峡を通るために、マラッカ海峡が閉鎖されてしまえば、その打撃は図り知れない。そこで、ペルシア湾、アフリカからマラッカ海峡経由の石油ルートの安定確保が大きな問題になった。さらに、二〇一七年、中国共産党を敵視する共和党のトランプがアメリカの大統領に就任したことで、海の地政学がもろに中国の大問題となった。

歴史の読み方87

中国が輸入する石油の大部分と、中国の輸出製品の約三分の一がマラッカ海峡を通過している。そうしたマラッカ海峡への依存度の高さが、「マラッカ・ジレンマ」として中国共産党政権の頭痛の種となった。ペルシア湾のチョーク・ポイントであるホルムズ海峡が閉鎖されても、大変なことになる。

そこで中国は、ロシア、ベネズエラなどに石油の輸入先を多角化。パキスタン西部のグワーダル港からアフガニスタン経由での石油輸送、ベンガル湾に面したミャンマーのチャウピュー港と雲南省昆明を結ぶパイプラインの建設など、石油の安全供給の方策を考えざるをえなくなった。ランド・パワーの中国ゆえの悩みである。

二つの「列島線」を設定した劉清華

それとは別に、改革開放政策に転換した後、それまで陸軍が中心だった中国は、海軍の建設と海洋地政学にもとづく防衛体制の構築に取り組むことになる。

先に述べたように、軍閥、国民党、共産党の武力闘争で建国された中国は、典型的なランド・パワーの国だった。そのために建国当時には、沿岸警備隊のような防衛体制しかなかった。そこで鄧小平は、天安門事件の際に鎮圧部隊を率いた人民解放軍の劉清華（のちに「中国近代海軍の父」と呼ばれる）を海軍司令員として抜擢。本格的な海軍建設に乗り出させた。

劉は、アメリカのマハンのようなシー・パワーの戦略思想の持ち主で（本人は西洋の帝国主義者マハンの信奉者ではないと主張）、中国には国際通商路を守ることのできる本格的な海軍が必要と考えた。

劉は、外洋型の近代海軍を創設するために、第一、第二列島線を引き、アメリカ海軍を排除する戦略的防御体制をつくりあげようとした。二つの列島線は、次のようになる。

〈第一列島線〉九州、沖縄、台湾（もっとも重要な戦略拠点）、ルソン海峡、フィリピン群島、ボルネオ島を結ぶ戦略ライン

〈第二列島線〉日本列島中央部、サイパン、グアム（重要な中心拠点）、パラオ、パプアニューギニアを結ぶ戦略ライン

第一列島線の内側は有事の際に中国の「海」として、アメリカ海軍を排除する海域とされ、南シナ海、台湾、尖閣諸島などが含まれる。そのうちもっとも重要な拠点として位置づけられたのが台湾で、かつて清帝国が併合した島であること

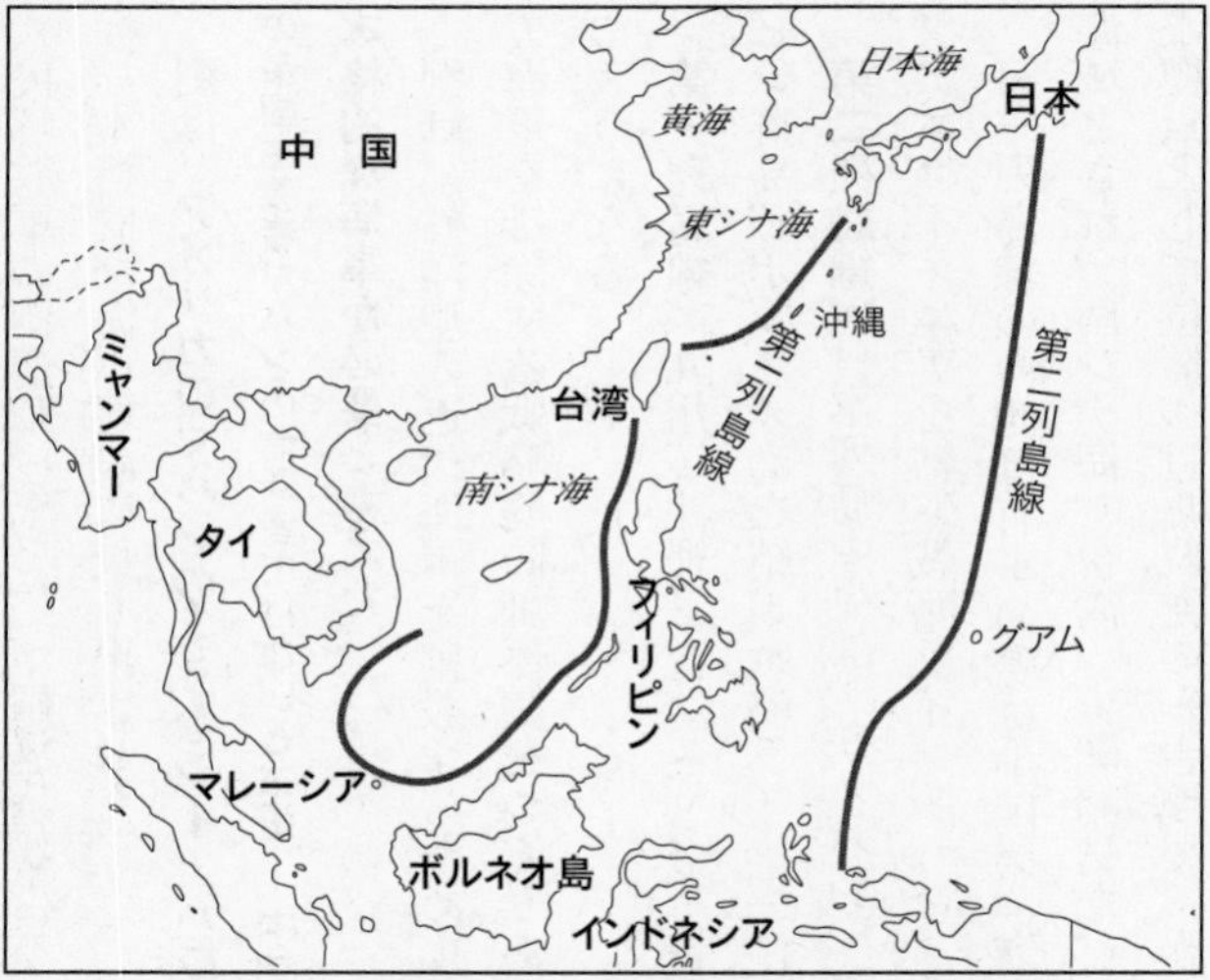

第一、第二列島線
資料:ピーター・ナヴァロ『米中もし戦わば』(文藝春秋)を参考に作成

を理由に、中国は「核心的利益」としている。

第二列島線は、有事の際にアメリカの空母打撃群の阻止線とされる。太平洋戦争の際に制海権と制空権を失った日本が、太平洋上のサイパン島、テニアン島などからのB29爆撃機の爆撃で壊滅的打撃を受けたことが、第二列島線の設定に生かされている。ここでは、アメリカ軍の戦略爆撃機が配備されるアンダーセン空軍基地のあるグアム島が主敵とされている。

歴史の読み方88

先に述べたように、現代の海洋世界は国際法にもとづき、半ばオートマティックに動く「管理」された海になっている。それに対して中国は、公海である南シナ海、東シナ海、台湾と台湾海峡を、第二次世界大戦以前の海洋支配の発想にもとづき「海洋国土」として自領化しようとしており、周辺諸国との間に強い摩擦を引き起こしている。

南シナ海の九割を排他的経済水域にしようとする無謀な試み

強力な対抗勢力となる国がない南シナ海では、中国は力づくで排他的経済水域を拡大した。中国はかつて中華民国が設定していた、南シナ海を囲い込むための「一一段線」（一九三三年にフランスが、当時、中華民国政府が領有権を主張した南シナ海の南沙諸島、西沙諸島に軍隊を駐屯させた際に主張された）から二つの線を外して、「九段線」(ヴェトナムでは線をつなぐと巨大な牛の舌のように見えるので、牛舌線)を引き、その線の中の南シナ海(南シナ海のほとんど全部になる)は、中国の「海洋国土」であると主張。中国はその海域のサンゴ礁を次々に埋め立て、一方的に軍事要塞化した。そうした公海の原則に全く無頓着な行動は、東アジア、東南アジア諸国から強い反発を受けている。

かつてはフィリピンにアメリカの強大なスービック海軍基地があったため、中国は勝手な行動ができなかったが、一九九二年に国際法により海洋秩序は守られると考えてアメリカ海軍がフィリピンから撤退。すると同年、中国は国内法である「中国領海法」を制定。それが国際条約に優先されるとして、尖閣諸島、南沙諸島、西沙諸島を中国の領土であると一方的に宣言。中国は同海域での非軍事船舶には「**無害通航**」(沿岸国の平和・秩序・安全を害さないことを条件に、外国の艦船が事前通告なしに領海を航行できる権利)を認めたが、軍用船舶(判断するのは中国当局)には航行を許可制にした。そうなると、中国当局の判断で同海域の航行を制限できるということになり、実質的に海の世界が慣行としてきた無害通航の原則が損なわれることになってしまう。

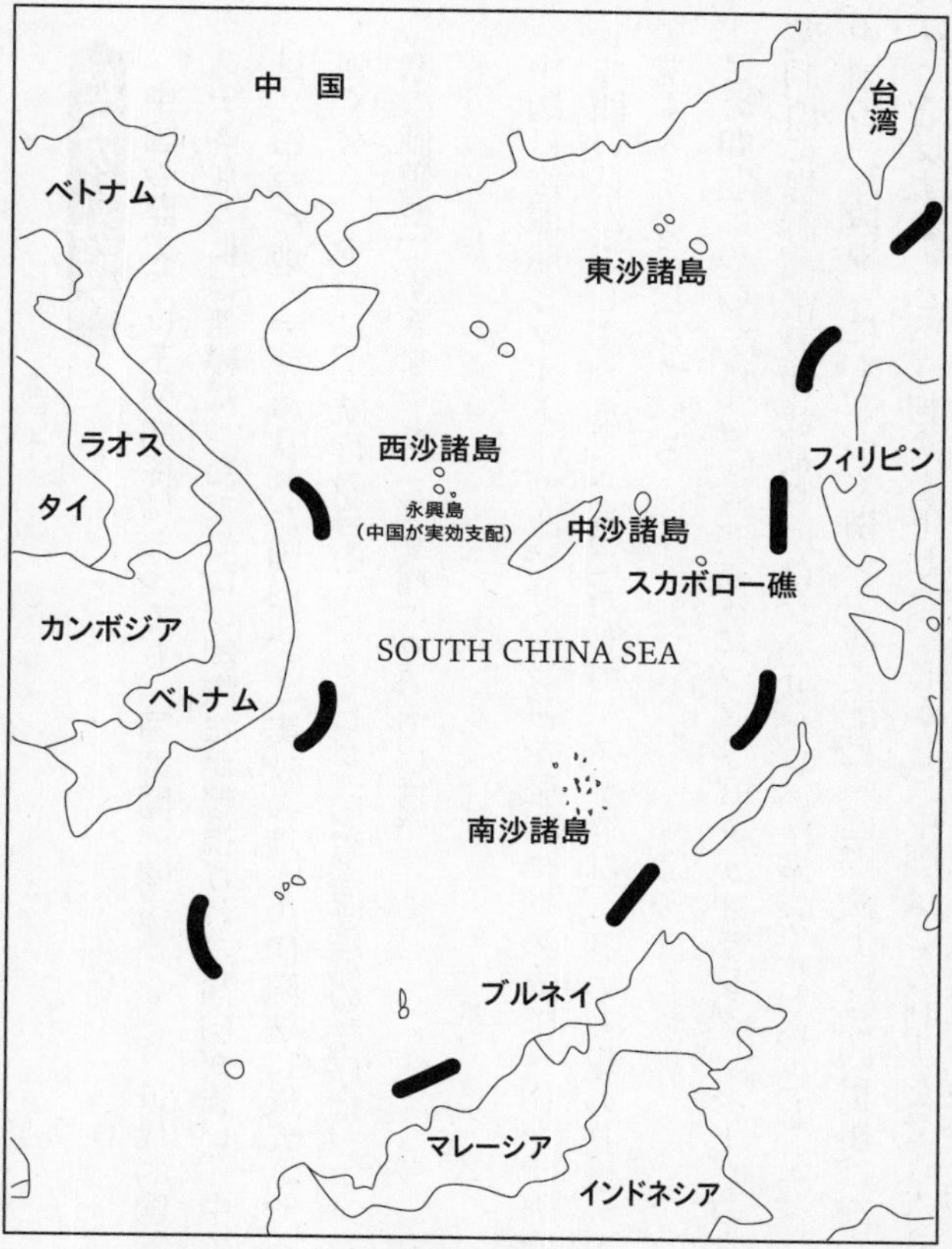

九段線図(黒の太い線)
資料:北村淳『米軍幹部が学ぶ最強の地政学』(宝島社)を参考に作成

歴史の読み方㉘

中国の歴史では王朝関係はあっても、国家間の関係がなく、近代的国際外交システムなどには無縁だったために、国際法が軽視される傾向が強い。中華思想では、「中華の地」で定められた国内法を「夷狄の地」の国際法に優先させる傾向が強くなる。中国は、「航行の自由」にもとづく国際海洋法の秩序は、アメリカ、西欧の価値観にすぎないという立場に立っている。

中国は浚渫船とブルドーザーでサンゴ礁を強引に埋め立て、南シナ海を領土として囲い込んでしまった。それに対してアメリカは、「砂の万里の長城」と呼んで無視する立場に立っている。

この問題については、二〇一三年にフィリピンがオランダ・ハーグの常設仲裁裁判所に提訴。常設仲裁裁判所はフィリピンの主張が正しいとし、二〇一六年、中国の「九段線」にもとづく南シナ海支配に「国際法上の法的根拠はなく、国際法に違反する」という判決を下した。しかし、中国はこの判決を受け入れず、「公海中の公海」の南シナ海を領土として囲い込むという強引なやり方（ランド・パワーのやり方だと思うのだが）を改めようとはしない。

6 南シナ海・台湾・尖閣諸島での紛争

国連海洋法条約に対抗する中華ナショナリズム

第二次世界大戦後、石油、天然ガスの需要が増し、海底の石油・天然ガス資源の探査、開発が進むことで、海底資源の問題が海の世界に新たな対立を引き起こすことになった。海洋世界の性質が変わったのである。

二〇世紀前半までの海洋世界は交易が中心であり、海は公共財（公海）と見なされてきた。イギリス、アメリカなどは海洋を共存共栄の場とし、海洋秩序を維持してきたのである。また、支配下にある港やチョーク・ポイントを開放し、作成した海図もできるだけ安い価格で売り出すなどして、国際交易の発展を支えてきたのである。

ところが、それに変化をもたらしたのが石油などの海底資源だった。事は、アメリカから始まる。一九四五年、アメリカ近海のメキシコ湾で海底油田が発見されると、企業が政治家に働きかけて公海を拡張して資源を囲い込もう、我先に開発をしようとして収拾がつかなくなったのである。アメリカ政府は油田開発を助ける一方で、過度の開発を規制するために、領海を一二海里(二二・二二四キロメートル)まで広げることを宣言した。

それをきっかけにして、漁業資源、石油・天然ガスなどの開発競争が世界規模で展開され、「大陸棚は公海にならないので除外しろ」「領海をもっと広げろ」というような各国の主張が交錯した。

欲得づくの利権争いは、とても調整が難しい。領海を越える資源を管理する権限が各国にあるという主張が強くなると、収拾がつかなくなってしまう。そこで、一九八二年にジャマイカで開かれた第三次国連海洋法会議で、困難な利害調整が根気強く進められ、やっとのことで三二〇もの条項からなる**国連海洋法条約**(UN

CLOS）が採択されて公海と海洋秩序が守られた。現在、この条約は「海の憲法」とされ、中国を含む一六八の国・地域とEUで批准されている。アメリカは、海底資源の問題があって条約を批准してはいないが、慣習国際法とし、海底の資源以外の規定は認める立場に立っている。条約は、世界の海域を次のように三つに区分する。最近はよく耳にすると思うが、整理しておくと次のようになる。

①**領海**は、沿岸国の主権（海上、海中、海底、上空）が及ぶ海域。海岸線から一二海里（約二二キロメートル）以内とする。

②**接続水域**は、領海と「排他的経済水域」の間の一二海里（約二二キロメートル）。

③**排他的経済水域**（EEZ）は、海岸線から二〇〇海里（約三七〇キロメートル）以内とする（世界の海の三分の一を占める）。

ここで、説明が必要なのは「排他的経済水域」である。排他的経済水域は、次のように規定される。

①沿岸国が漁業や海底資源を管理する権限を持つ。

②同時に他国船（軍用船を含む）の航行、上空の飛行、海底電線の敷設、パイプ・ラインの敷設などの自由が保障される中間的な海域。

排他的経済水域の外の海は、**人類の公共財の公海**とされた。それにより、なるべく広い海域を「公海」として維持する原則がなんとか保たれたのである。

南シナ海・東シナ海の資源と海面をねらうランド・パワーの中国

ところが、南シナ海、東シナ海の尖閣諸島周辺海域に豊富な石油の埋蔵があるとするアメリカの調査結果が公開されると、中国は、一九九二年に国内法の領海法を制定。歴史的に見ても「公海中の公海」であり、世界の最良の漁場の一つである南シナ海を「海洋国土」と主張。自らが定めた国内法により、南シナ海を強引に囲い込んでしまった。南シナ海は、太平洋、大西洋、インド洋、南極海、北極海に次ぐ、**世界で六番目の大海**であり、世界の海を航行する船の**三分の一が行き来**している。歴史的に見ても、インド洋につながる交易の海であった。ランド・パワーとして歴史を形成してきた国が、そうした海域を力づくで囲い込むことが世界情勢を不安定にしている。

中国が論拠にするのは、先に述べたように一九三三年にフランス軍が南シナ海の島々を占拠した時に、中華民国が領有権を主張した地図に描いた一一段線（一九四七年に、中華民国政府発行の地図が九段線に改める）のみで、ほかに根拠はない。この牛の舌のような九段線は、実に南シナ海の九割を囲い込んでいる。

九段線の中には、インドネシアの排他的経済水域にある確認埋蔵量約一兆三〇〇〇億立方メートルと見積もられている東ナトゥナ・ガス田（中国から約一六〇〇キロメートルも離れている）も含まれている。中国は一九九二年につくった地図で、このガス田を中国領としているという。

排他的経済水域は領海という主張

それだけではなく、中国は他国とは違って排他的経済水域と領海を区別せず、排他的経済水域であっても、他国船の航行の自由、航空機の上空通過の自由は認めないとして、実質的に領海を広げる主張をしている。

しかし、**各国がそうした立場に立つと、世界の海の三分の一を占める「排他的経済水域」が領海ということになってしまい、公海が一挙に縮小することになる。**

文化大革命後に中国経済が華々しく復興できたのは、グローバル経済（全球化）のルールによったのであるが、それを自ら否定することをどのように考えたらよいのであろうか。国内法の領海法や「国家主権」は、国際ルールの一方的な改変の論拠にはなりえない。

自国中心主義により中国が、南シナ海と東シナ海という世界でもっとも豊かな国際通商路を占有することは、世界の海洋の三分の一を占める排他的経済水域が各国の領海に変わり、海洋世界の秩序を根本的に変えることになってしまう。こうしたことは一国だけで勝手にやれることではない。それゆえに自由で開かれたインド・太平洋を守れということで、アメリカ、日本、オーストラリア、イギリス、フランス、東南アジア諸国などが結束して対抗せざるをえなくなっている。

歴史の読み方⑨⓪

南シナ海はマラッカ海峡につながっており、インド洋への玄関口にあたる。戦略的に重要な南シナ海は、世界の輸送船の三分の一が航行する「公海中の公海」であり、現在は、日本、韓国に運ばれる石油の大半がその海を通過している。もし、南シナ海の航行を中国が制限できるということになれば、このルートで中東の石油を運んでいる日本、韓国の経済を、中国が牛耳ることになるのだ。

台湾・尖閣諸島の攻防

南シナ海と東シナ海をつなげる第一列島線の中央に位置するチョーク・ポイントの台湾海峡と、海峡と太平洋の間の台湾は地政学上の要衝である。中国は、台湾を、清帝国―中華民国―国民党（蔣介石軍）と共産党軍の争いという文脈の延長線上にとらえ、共産党と国民党が中国の統一をめぐって争い、蔣介石軍が敗れたのだから、共産党が台湾を支配するのは当然であると主張する（「一つの中国」論）。しかし、清は、農業世界と遊牧世界を複合した帝国であって近代国家ではない。孫文などによる「滅満興漢」の民族運動の広がりが、それを物語っている。

また、辛亥革命により成立した中華民国では軍閥の混戦がずっと続き、とても国家とはいえない内戦状況が続いてきた。台湾は一時的に蔣介石軍に占領されたのだが、自立を求める声が強まり、一九九六年に民主的なかたちで総統選挙が行われ、選挙で民主国家が選択されたとも見なしうる。

中国は、アヘン戦争以後の中華民族の屈辱の一〇〇年の歴史が継続しており、いまだに回復されていない最後の領土が台湾だと主張している。しかし、清帝国が征服した広大な地域が、未来永劫、国として保たれなければならないとするのは、世界史的な見方ではない。世界の歴史で帝国が解体される際には、多くの場合に、領域の再編が不可欠だった。

東シナ海の南西部（石垣島から一五〇キロメートル）の尖閣諸島は、東シナ海から太平洋に抜ける宮古海峡に近い島で、太平洋戦争時には二〇〇人余が居住する古賀村があったが、経済的理由から村民は離島。現在は日本が実効支配する島である。それに対して、台湾、中国はともに一九一七年以降の領有権を主張するが、日本は先占権があると主張している。

この島が問題になったのは、一九六八年に尖閣諸島付近の海底調査で、同島周辺に大量の石油、天然ガスの埋蔵の可能性が確認されてからであった。そのニュースの後、同島に対して中国が領有権を主張するようになる。

中国は、大陸のランド・パワーの国のゲリラ戦よろしく、海警局の公船が頻繁に日本の領海内に立ち入って自国の領海だという国際宣伝を繰り返し、同島を奪取する下地づくりに余念がない。中国が南シナ海におけるフィリピンの排他的経済水域であるスカボロー礁を取り込んだ際には、民間漁船、武装民兵などが同島に交替で派遣されて、取り囲むというキャベツ作戦（紛争地をさまざまな民間船、武装船で繰り返し取り囲む作戦）がとられた。この時にフィリピンは、常設仲裁裁判所に提訴し、中国の九段線の主張は無効という判決を得ている。

明の永楽帝がモンゴル高原の領有権を主張するために、晩年にモンゴル軍との交戦を避けながら五回にわたってモンゴル高原に遠征し、最後にモンゴル高原で病死したことを思い出す。海洋における中国の戦法にはランド・パワーの歴史が継承されているように見えてくる。ねらいをつけた領土（地域、島）に執着し、相手が強く出れば引き、弱いと見ればつけこみ、あらゆる手段を駆使して嫌がらせをし、目標物を奪い取るのは、何世紀も前からのランド・パワーのやり方であり、現在の海洋世界で認められるものではない。

現在は、南シナ海と東シナ海が「軍事対立の海」と化し、なかでもチョーク・ポイントの台湾海峡、戦略的要地の台湾、宮古海峡に近いわが国の尖閣諸島が、世界のシー・パワーとランド・パワーの対立の焦点となり、情報戦と宣伝戦の最前線に立たされている。

参考文献

合田昌史『マゼラン——世界分割《デマルカシオン》を体現した航海者』京都大学学術出版会(2006年)
青木康征『コロンブス——大航海時代の起業家』中公新書(1989年)
秋田茂編『パクス・ブリタニカとイギリス帝国』ミネルヴァ書房(2004年)
浅田実『商業革命と東インド貿易』法律文化社(1984年)
アリステア・マクリーン『キャプテン・クックの航海』越智道雄訳、早川書房(1982年)
アルフレッド・マハン『マハン海上権力論集』麻田貞雄編・訳、講談社学術文庫(2010年)
飯島幸人『大航海時代の風雲児たち』成山堂書店(1995年)
飯島幸人『航海技術の歴史物語——帆船から人工衛星まで』成山堂書店(2002年)
生田滋『ヴァスコ・ダ・ガマ——東洋の扉を開く』原書房(1992年)
イブン・ハルドゥーン『歴史序説』森本公誠訳、岩波文庫(2001年)
イブン・フルダーズベ『道里邦国志(諸道と諸国の書)』宋峴訳、中華書局(1991年)
ウィリアム・バーンスタイン『華麗なる交易—貿易は世界をどう変えたか』鬼澤忍訳、日本経済新聞出版(2010年)
M・N・ピアスン『ポルトガルとインド——中世グジャラートの商人と支配者』生田滋訳、岩波現代選書(1984年)
エリザベス・アボット『砂糖の歴史』樋口幸子訳、河出書房新社(2011年)
L・パガーニ『プトレマイオス世界図——大航海時代への序章』竹内啓一訳、岩波書店(1978年)
大西晴樹『海洋貿易とイギリス革命——新興貿易商人の宗教と自由』法政大学出版局(2019年)
岡崎久彦『繁栄と衰退と——オランダ史に日本が見える』文春文庫(1999年)
奥山真司『地政学』新星出版社(2020年)
金七紀男『エンリケ航海王子——大航海時代の先駆者とその時代』刀水書房(2004年)
栗田伸子/佐藤育子『通商国家カルタゴ』講談社学術文庫(2016年)

黒田英雄『世界海運史』成山堂書店（１９７２年）
薩摩真介『〈海賊〉の大英帝国——掠奪と交易の四百年史』講談社選書メチエ（２０１８年）
佐藤圭四郎『イスラーム商業史の研究』同朋社（１９８１年）
色摩力夫『アメリゴ・ヴェスプッチ——謎の航海者の軌跡』中公新書（１９９３年）
ジェイソン・シャーマン『〈弱者〉の帝国——ヨーロッパ拡大の実態と新世界秩序の創造』矢吹啓訳、中央公論新社（２０２１年）
ジェイムズ・スタヴリディス『海の地政学』北川知子訳、早川書房（２０１７年）
ジャネット・L・アブー＝ルゴド『ヨーロッパ覇権以前——もうひとつの世界システム』佐藤次高／斯波義信／高山博／三浦徹訳、岩波書店（２００１年）
杉田弘毅『「ポスト・グローバル時代」の地政学』新潮選書（２０１７年）
杉山正明『クビライの挑戦——モンゴル海上帝国への道』朝日新聞社（１９９５年）
田口一夫『ニシンが築いた国オランダ——海の技術史を読む』成山堂書店（２００２年）
竹田いさみ『海の地政学——覇権をめぐる４００年史』中公新書（２０１９年）
W・H・マクニール『疫病と世界史』佐々木昭夫訳、新潮社（１９８５年）
玉木俊明『海洋帝国興隆史——ヨーロッパ・海・近代世界システム』講談社選書メチエ（２０１４年）
デーヴァ・ソベル『経度への挑戦——一秒にかけた四百年』藤井留美訳、翔泳社（１９９７年）
デーヴィッド・マカルー『海と海をつなぐ道——パナマ運河建設史』鈴木主税訳、フジ出版社（１９８６年）
永積昭『オランダ東インド会社』講談社学術文庫（２０００年）
中村拓『御朱印船航海図』日本学術振興会（１９７９年）
ニコラス・スパイクマン『平和の地政学——アメリカ世界戦略の原点』奥山真司訳、芙蓉書房出版（２００８年）
ニコラス・スパイクマン『スパイクマン地政学「世界政治と米国の戦略」』渡邊公太訳、芙蓉書房出版（２０１７年）
ハルフォード・マッキンダー『マッキンダーの地政学—デモクラシーの理想と現実』曽村保信訳、原書房（２００８年）
ピーター・ナヴァロ『米中もし戦わば——戦争の地政学』赤根洋子訳、文藝春秋（２０１６年）

フィリップ・カーティン『異文化間交易の世界史』田村愛理／山影進／中堂幸政訳、NTT出版（2002年）
藤本勝次『海のシルクロード――絹・香料・陶磁器』大阪書籍（1982年）
藤本勝次訳註『シナ・インド物語』関西大学出版・広報部（1976年）
ブライアン・レイヴァリ『航海の歴史――探検・海戦・貿易の四千年史』千葉喜久枝訳、創元社（2015年）
ボイエス・ペンローズ『大航海時代――旅と発見の二世紀』荒尾克巳訳、筑摩書房（1985年）
マルク・レビンソン『コンテナ物語――世界を変えたのは「箱」の発明だった』村井章子訳、日経BP（2007年）
宮崎正勝『イスラム・ネットワーク――アッバース朝がつなげた世界』講談社選書メチエ（1994年）
宮崎正勝『鄭和の南海大遠征――永楽帝の世界秩序再編』中公新書（1997年）
宮崎正勝『ジパング伝説――コロンブスを誘った黄金の島』中公新書（2000年）
宮崎正勝『海からの世界史』角川選書（2005年）
宮崎正勝『黄金の島ジパング伝説』吉川弘文館（2007年）
宮崎正勝『世界史の誕生とイスラーム』原書房（2009年）
宮崎正勝『風が変えた世界史――モンスーン・偏西風・砂漠』原書房（2011年）
宮崎正勝『海図の世界史――「海上の道」が歴史を変えた』新潮選書（2012年）
宮崎正勝『北からの世界史――柔らかい黄金と北極海航路』原書房（2013年）
宮崎正勝『「海国」日本の歴史――世界の海から見る日本』原書房（2016年）
元綱数道『幕末の蒸気船物語』成山堂書店（2004年）
森本哲郎『ある通商国家の興亡――カルタゴの遺書』PHP文庫（1993年）
家島彦一『海域から見た歴史――インド洋と地中海を結ぶ交流史』名古屋大学出版会（2006年）
横井勝彦『アジアの海の大英帝国――19世紀海洋支配の構図』同文舘出版（1988年）
横井勝彦『大英帝国の〈死の商人〉』講談社選書メチエ（1997年）
ワクセル『ベーリングの大探検』平林広人訳、石崎書店（1955年）

著者紹介
宮崎正勝（みやざき・まさかつ）
1942年生まれ。東京教育大学文学部史学科卒。筑波大学附属高校教諭、筑波大学講師、北海道教育大学教授などを経て、現在はNHK文化センター等の講師として活躍中。『早わかり世界史』『地図と地名で読む世界史』『歴史図解 中東とイスラーム世界が一気にわかる本』（以上、日本実業出版社）、『イスラム・ネットワーク』（講談社選書メチエ）、『鄭和の南海大遠征』『ジパング伝説』（以上、中公新書）、『文明ネットワークの世界史』『商業から読み解く「新」世界史』『「海国」日本の歴史：世界の海から見る日本』（以上、原書房）、『海からの世界史』（角川選書）、『海図の世界史』（新潮選書）、『最高の教養！世界全史』（PHP文庫）など著書多数。

本書は、書き下ろし作品です。

ＰＨＰ文庫　覇権の流れがわかる！　海洋の地政学

2021年12月16日　第1版第1刷

著　者　宮　崎　正　勝
発行者　永　田　貴　之
発行所　株式会社ＰＨＰ研究所
東京本部　〒135-8137　江東区豊洲5-6-52
PHP文庫出版部　☎03-3520-9617(編集)
普及部　☎03-3520-9630(販売)
京都本部　〒601-8411　京都市南区西九条北ノ内町11
PHP INTERFACE　https://www.php.co.jp/
組　版　月　岡　廣　吉　郎
印刷所　大日本印刷株式会社
製本所　東京美術紙工協業組合

ISBN978-4-569-90179-4